a
his
in a
man
Chil

Marion Gräfin Dönhoff

Kindheit in Ostpreußen

Marion Gräfin Dönhoff

Kindheit in Ostpreußen

im Siedler Verlag

Inhaltsverzeichnis

Friedrichstein

Die Kinder meines gefallenen Bruders hatten ein Spiel erfunden, dessen Stichwort lautete: »Wie viele Händedrücke bist du entfernt von …?« Dann mußte man den Namen irgendeines bekannten, wenn möglich berühmten Menschen nennen, der in – vorzugsweise historisch – weiter Ferne gelebt hatte.

Ich war in der Lage, alle anderen Spieler aus dem Felde zu schlagen, weil mein Vater vierundsechzig Jahre alt war, als ich geboren wurde, und dessen Vater bei seiner Geburt achtundvierzig. Mit anderen Worten, das Geburtsjahr meines Großvaters war das Jahr 1797, was für den spezifischen Zweck unseres Gesellschaftsspiels natürlich große Vorteile mit sich brachte.

Er, der Großvater, war Diplomat gewesen, kurze Zeit einmal auch Außenminister, ein weltläufiger, gebildeter Mann, mit den Künstlern und Wissenschaftlern seiner Zeit gut bekannt, so daß ich unschwer beweisen konnte, daß mich nur drei Händedrücke von Humboldt, Schadow, Rauch oder Goethe trennten.

Vielleicht ist mir erst durch dieses Spiel, das die eigene Geschichte so augenfällig deutlich macht, bewußt geworden, wie weit zurück meine unmittelbare, mich bestimmende Vergangenheit reicht. Übrigens nicht nur in schlichter Distanz, sondern auch hinsichtlich der soziologischen und kulturellen Urschichten, bis zu denen sie zurückgeht. Die Ausläufer des *Ancien Régime* berührten gerade noch die Schwelle meiner Kinderstube, denn im Grunde war Deutschland bis zum Ende des Ersten Weltkrieges – damals war ich noch nicht zehn Jahre alt – eine halb-feudale Gesellschaft.

Dies läßt sich schon an dem Einfluß ablesen, über den der Adel in der Verwaltung und der militärischen Hierarchie damals noch verfügte: Bei Ausbruch des Ersten Weltkrieges waren alle Kommandeure der achtzehn preußischen und deutschen Armeekorps Adlige. Noch gegen Ende der Monarchie waren von den dreizehn Oberpräsidenten der preußischen Provinzen – also den höchsten Verwaltungsbeamten – elf adelig. Alle Botschafter – es gab damals nur neun, denn nur in den wichtigsten Staaten war das Deutsche Reich durch Botschafter vertreten – gehörten dem Adel an, und von den achtunddreißig Gesandten, die die Wilhelmstraße in den kleineren Ländern repräsentierten, waren nur vier bürgerlich.

Einer von ihnen war Ulrich Rauscher, Chef der diplomatischen Vertretung in Warschau. Ein Onkel von mir war ihm 1922 als Legationsrat zugeteilt, und ich erinnere mich, daß ernsthaft diskutiert wurde, ob dieser, nicht dem Adel angehörende Gesandte wirklich in der Lage wäre, alle Nuancen dieses Metiers, einschließlich Tradition, Stil und Takt, voll zu beherrschen.

Man sieht, es sind immer die von Interessenten bewußt oder unbewußt geschaffenen Vorurteile, die das Vorstellungsvermögen der Menschen beherrschen. So hätte sich bis zum Beweis des Gegenteils zu jener Zeit auch niemand vorstellen können, daß Juden eines Tages glänzende Soldaten und vorzügliche Bauern sein würden. Es sind eben nicht die Fakten, die in der Geschichte entscheidend sind, sondern die Vorstellungen, die sich die Menschen von den Fakten machen.

Meine älteren Geschwister waren bei Ausbruch des Ersten Weltkrieges schon in denkendem Alter, sie waren darum für mich eine Art Bindeglied vom »früher« zur neuen Zeit. Die neue Zeit, meine Zeit, begann also mit dem Ende der Monarchie und dem beginnenden demokratischen Zeitalter. Die Zeit vor dem Ersten Weltkrieg – auch wenn sie noch nicht fern war – kannte ich nur aus Erzählungen.

Besonders plastisch wurde sie mir durch einen Absatz, den ich in den Jugenderinnerungen Otto von Hentigs fand. Der Diplomat Otto von Hentig, berühmt durch seine abenteuerliche »Reise ins verschlossene Land«, die er 1915 im Auftrag des Auswärtigen Amts nach Afghanistan unternahm, ist der Vater des bekannten Pädagogen Hartmut von Hentig. Otto von Hentig, geboren 1886, beschreibt in seinen Erinnerungen einen Besuch der Familie Hentig in meinem Vaterhaus Friedrichstein:

»Es war wohl im Sommer 1902, als wir zum zweiten Mal das damals noch in größtem Stil geführte Schloß besuchten. In Königsberg holte uns ein Rappen-Viererzug ab und ein ihn begleitender Gepäckwagen. Die Eltern bekamen wieder die Königstuben, also die Räume, die für die preußischen Könige bestimmt waren, wenn sie Ostpreußen besuchten. In ihnen hatten schon Friedrich Wilhelm I., dann der Alte Fritz und Friedrich Wilhelm II. und IV. gewohnt. Uns Kindern waren die dazugehörigen hinteren Räume angewiesen.

Unmittelbar, nachdem Graf August die Morgenandacht mit etwa zwanzig zum Teil sehr anziehenden jungen, sämtlich rosa uniformierten Hausmädchen sowie dem ersten, zweiten und dritten Diener abgehalten hatte, kam auf einer riesigen Silberplatte das exzellente Frühstück. Jeden Abend dann Diners in großer Toilette mit Gästen aus der Umgebung und aus Königsberg, außer den ständigen Besuchern aus Diplomatie, Hoch- und Geistesadel.«

Bis auf die Anzahl der Stubenmädchen, die, wie mir scheint, in Otto Hentigs Erinnerung ins Überdimensionale gewachsen ist, habe ich einiges davon als Kind doch noch erlebt: den Viererzug etwa oder die Morgenandacht, nur daß diese zu meiner Zeit von meiner Mutter und nicht mehr vom Vater gehalten wurde. Es gab auch noch den ersten Diener mit Namen Kadow, sehr würdig im schwarzen Anzug oder Frack, die beiden nachgeordneten in hellen, gestreiften Leinenjacken oder, zu feierlichen Gelegenheiten, in schwarzen Escarpins mit roten Kniestrümpfen und Schuhen, die mit Silberschnallen ausgestattet waren, sowie einem frackähnlichen Gegenstand als Jacke. Die

Schloß Friedrichstein, 1709-1714 erbaut, gehörte zu den drei kunstgeschichtlich bedeutendsten Schlössern Ostpreußens. Der Stuck der repräsentativen Räume ist 1750 in reinem Rokoko von Italienern angefertigt worden.

sechs Stubenmädchen, die es in meiner Kindheit noch gab, trugen in der Tat einheitliche, rosaweiß gestreifte Kleider; die drei Küchenmädchen hingegen waren von dieser Livrierungs-Lust ausgeschlossen.

Überhaupt wurde die Hierarchie auf den unteren Rängen genauso streng eingehalten wie unter den Würdenträgern bei Hof. Nie hätte die Köchin mit den Küchenmädchen oder die Kastellanin, Fräulein Schikor, die den Hausmädchen vorstand, mit diesen zusammen gegessen; Köchin und Kastellanin saßen in einem Extrazimmer an einem Tisch, zu dem nur noch die Jungfer meiner Mutter Zutritt hatte und gegebenenfalls ein unverheirateter Adjunkt des Inspektors, der sogenannte Eleve. Die drei Kutscherjungen, die der Oberkutscher unter sich hatte, aßen ebenfalls im Schloß, aber auch sie hatten einen Tisch für sich – allerdings nur in einem Durchgangsraum.

Die Hausmädchen und Kutscherjungen kamen alle aus dem Dorf oder, wie die Leute sagten, aus der Grafschaft, also von einem der dazugehörigen Güter. Daß sie in so großer Zahl vorhanden waren, hing damit zusammen, daß es damals noch sehr wenig Industrie gab, also die Chance, in der Stadt Arbeit zu finden, gering war; außerdem wurde natürlich der Dienst im Schloß dem in der Landwirtschaft vorgezogen – man drängte sich danach. Auch wenn der Lohn nicht hoch war, fiel der Vorteil, eine leichte Arbeit zu haben, Wohnung, Kleidung und Essen zu erhalten, doch entscheidend ins Gewicht.

Es war eben, verglichen mit heute, eine noch weitgehend bargeldlose Wirtschaft. Auch die Landarbeiter bekamen den größten Teil des Lohnes in Naturalien: Wohnung, Brennholz, Getreide zum Brotbacken und zur Schweinemast, ferner Milch oder freie Kuhhaltung und eine bestimmte Fläche zum Anbau von Kartoffeln. Kartoffeln spielten im ländlichen Leben in vielerlei Weise eine große Rolle.

Für mich war es das größte Vergnügen, im Herbst Meister Klein, dem Tischler, oder irgendeinem anderen unserer besonderen Lieblinge beim Kartoffelgraben auf seinem Ackerstück zu helfen. Der schönste Moment dabei war, wenn am Schluß das trockene Kartoffelkraut, in großen Haufen aufgeschichtet, angezündet wurde und allenthalben graue Rauchschwaden wie Opferfeuer über das Land zogen. Dann ergriff einen die ganze unaussprechliche, nicht auslotbare Wehmut des Herbstes. Noch heute, wenn ich im Osten ein solches Bild sehe, kommt mir der Vers Rilkes in den Sinn: »Magst Du auch sein weit über Land gefahren, fällt es Dir doch nach Jahren stets wieder ein.«

Besuch von Hindenburg

Meine vier ältesten Geschwister – zwei Brüder und zwei Schwestern – waren acht bis zehn Jahre älter als ich. Mein ältester Bruder hatte als siebzehnjähriger Freiwilliger noch einen Teil des Ersten Weltkrieges mitgemacht. Von den drei jüngeren war ich die jüngste: vor mir ein drei Jahre älterer Bruder, Christoph, sowie eine kranke Schwester, für die es eine eigene Pflegerin gab.

Meine eigene Erinnerung an den Ersten Weltkrieg beschränkt sich auf einen Besuch Hindenburgs, der 1916 eine Woche Urlaub in Friedrichstein machte. Als die Russen zu Beginn des Krieges, gleich im August 1914, in Ostpreußen eingefallen waren, hatte man uns Kinder zur Schwester meiner Mutter geschickt, die in Sachsen mit einem Herrn von Helldorff verheiratet war. Wir wurden erst zurückgeholt, nachdem Hindenburg in der Schlacht bei Tannenberg die Russen wieder aus Ostpreußen vertrieben hatte.

Diese Schlacht wurde sehr rasch zu einem Mythos; es hieß, die russische Offensive sei in den masurischen Sümpfen steckengeblieben – ich sah die Russen festgewurzelt im Moor stehen, und natürlich taten sie mir sehr leid. Der Heros der Schlacht war der von vielen Legenden

Im Jahr 1916 verbrachte Feldmarschall von Hindenburg eine
Woche Urlaub in Friedrichstein. Meine Mutter und »der Sieger
von Tannenberg« vor der Kirche in Löwenhagen.

15

umrankte siegreiche Feldherr General von Hindenburg.

Als er nach Friedrichstein kam, war ich recht enttäuscht, daß er so gar nicht dem Bild entsprach, das ich mir von ihm gemacht hatte. Er war groß und schwer, ging ziemlich steif mit merkwürdig kurzen Schritten und glich mit seinem Schnurrbart eher einem Nußknacker, wie ich ihn einmal in einem Bilderbuch gesehen hatte, als jenem göttergleichen Helden meiner Vorstellung. Hindenburg hatte 1911 seinen Abschied genommen, und man erzählte, er sei im August 1914 – siebenundsechzigjährig – so überraschend wieder geholt worden, daß er nicht einmal eine feldgraue Uniform hatte, sondern in einer Art Litevka in Ostpreußen angereist kam.

Tannenberg war offenbar die einzige Kesselschlacht des Ersten Weltkrieges; damals wurden neunzigtausend Gefangene gemacht. Es muß in der Tat eine geniale Leistung gewesen sein; von den acht vorhandenen deutschen Armeen waren nämlich sieben sogleich im Westen eingesetzt worden, so daß für Ostpreußen nur eine einzige Armee zur Verfügung stand, die den vielfach überlegenen russischen Heerscharen standhalten mußte.

Es war eine große Familie, die täglich bei Tisch zusammensaß. Groß vor allem deshalb, weil alle Kinder zu Hause unterrichtet wurden. Also gab es Hauslehrer, Erzieherinnen und eine Französin. Ferner für meinen Vater eine Sekretärin und als Dauergast eine Freundin meiner Mutter, die sich zu unserem Ärger bemüßigt fühlte, ständig Verhaltensregeln von sich zu geben. Sie war ein humorloses, älteres Fräulein von Zedlitz, die überall ihre Nase hineinsteckte.

Edith Zedlitz war – wohl inspiriert durch den Krieg – auf äußerste Sparsamkeit bedacht. So durften wir nicht gleichzeitig Butter und Marmelade aufs Brot streichen; auch war sie sehr erfinderisch in bezug auf jeglichen »Ersatz«. Ersatzkaffee wurde aus Eicheln gefertigt, die wir sammeln mußten. Glanzruß, der aus einem bestimmten Kamin gekratzt wurde, diente als Grundstoff für Schuhwichse, und Seife wurde aus weiß der Himmel was für Rückständen gekocht.

Man kann sich heute gar keine Vorstellung von der allgemeinen Armut jener Zeit nach dem Ersten Weltkrieg machen: Städter kamen mit Rucksäcken aufs Land, um auf den Feldern einzelne Ähren zu sammeln, die beim Abernten liegengeblieben waren, und die sie dann zu Hause auf umständliche Weise erst »dreschen« und dann mahlen mußten, um schließlich das Ergebnis backen zu können. Die Dorfleute trugen für gewöhnlich Holzpantinen, nur am Sonntag zum Kirchgang wurden die Schuhe herausgeholt, die aber häufig erst vor dem Kirchdorf angezogen wurden; auf dem Nachhauseweg wurden sie ebenfalls in der Hand getragen, um sie zu schonen. Auch bei uns wurde an allem gespart. So fuhren wir nie zweiter Klasse in der Eisenbahn – an erste war ohnehin nicht zu denken –, sondern stets in der ungepolsterten dritten, selbst auf so langen Strecken wie der von Königsberg nach Berlin.

Nach 1918 erweiterte sich die Runde am Eßtisch noch um zahlreiche Personen, weil ständig russische Emigranten und baltische Flüchtlinge auftauchten. Die meisten verschwanden bald wieder, nur die Familie des Fürsten Lieven blieb für Jahre bei uns. Sie bestand aus dem stillen, vornehmen Familienoberhaupt, seiner nervösen, leicht verrückten, aber höchst amüsanten Frau und fünf Kindern: Egon, Sigrid, Nicol, Marieluise, Joachim. Mit Ausnahme von Joachim habe ich sie alle aus den Augen verloren.

Sein Schicksal war übrigens besonders tragisch. Als ich während des Zweiten Weltkrieges die Verwaltung der Güter führte, war es mir gelungen, ihn immer wieder vom Militärdienst freistellen zu lassen, weil die Behörde einsah, daß er als einzige männliche Hilfskraft – meine Brüder befanden sich im Krieg – unentbehrlich war. Aber im letzten Kriegsjahr stach auch dieses Argument nicht mehr: Er wurde eingezogen und, ohne daß man Widerspruch geltend machen konnte, ausgerechnet einer Waffen-SS-Einheit zugeteilt. Für den ferventen Anti-Nazi ein schwerer Schicksalsschlag. Sein letzter Brief kam im Januar 1945 aus der Nähe von Kolmar; dann hat man nie wieder etwas von ihm gehört.

Für die älteren Geschwister waren Hauslehrer, Erzieherinnen und Sprachkundige engagiert worden. Dies galt auch noch für meinen drei Jahre älteren Bruder, der, noch ehe er Deutsch lernte, Französisch sprach; von ihm, der von den älteren Geschwistern genauso malträtiert wurde wie ich, ist der vielsagende Satz überliefert: *»Oh, comme je suis malheureux dans cette maison.«*

Zu meiner Zeit hatte sich das Bild total verändert, sei es, daß die Situation der Nachkriegszeit dies gebot, sei es, daß beim siebten Kind das Interesse einfach erlahmt war. Jedenfalls wurde meine Erziehung mehr oder weniger dem Zufall überlassen. Mal gab mir die Sekretärin meines Vaters beiläufig Unterricht, mal einer der jungen Balten oder eines der älteren Geschwister. Etwas Brauchbares konnte dabei natürlich nicht herauskommen.

Schließlich wurde eine Wohnung in Königsberg gemietet, und alle, die noch zur Schule gingen, wurden unter der Obhut von Onkel Paul Below und meiner Kinderfrau dorthin verfrachtet. Für mich nahm diese Zeit bald ein Ende, warum, weiß ich nicht genau; man sagte mir nur, die Schule lege keinen Wert auf meine weitere Anwesenheit. Ich war noch im Vorschulalter, die Klasse überfüllt, und ich am Morgen fast immer zu spät – mag sein, daß dies alles zusammengewirkt hat.

Daß ich fast immer zu spät kam, lag an der Kochkiste, die, wie ich vermutete, auf eine Erfindung von Edith Zedlitz zurückging. Die Kiste konnte angeblich Brennstoff sparen, weil sie innen dick ausgepolstert war. Man stellte abends den kurz angekochten Brei, meist Graupen oder Grütze, hinein und holte ihn am nächsten Morgen angeblich gar gekocht wieder heraus. Von gar war natürlich keine Rede. Die dicken Graupen waren halb roh und ekelten mich so, daß ich nicht imstande war, sie herunterzuschlucken. Das führte zu ewig langen Sitzungen am Frühstückstisch und mithin zu permanenter Verspätung in der Schule.

So kehrte ich also nach einigen Monaten wieder zurück nach Friedrichstein mitsamt meiner Kinderfrau Aleh, die ich sehr gern hatte. Ich war acht

Jahre alt, mein neunter Geburtstag stand ziemlich unmittelbar bevor. Der kurze Ausflug in die große Welt von Königsberg war beendet. Gemischte Gefühle erfüllten mich, als wir den Zug bestiegen, der uns zurück nach Löwenhagen brachte, wo Kutscher Grenda mit dem Zweispänner schon vor dem Stationsgebäude wartete.

Wenn die Eltern abgeholt wurden – das hatte ich oft beobachtet –, trug er zu seiner eleganten braunen Livree stets eine schwarze Melone, die er in einer Hab-acht-Stellung zum Gruß mit dem Daumen und Zeigefinger der rechten Hand an der vorderen Kante berührte. Ohne sich zu bewegen, ohne eine Miene zu verziehen, verweilte er in dieser Stellung, bis alle eingestiegen waren. Dann ging es los in gestrecktem Trab, so daß die Räder des gefederten Wagens von einem Stein des Kopfsteinpflasters zum anderen sprangen. Das Geräusch, das dabei entstand, ist ganz unvergeßlich, auch wenn man es nie wieder gehört hat.

Aleh und ich aber waren diesen Aufwand nicht wert. Grenda saß in einer alten Jacke auf dem Bock und grinste – warum wohl, fragte ich mich beklommen: Hoffentlich denkt er nicht, ich sei aus der Schule geflogen. Grenda legte immer großen Wert auf hierarchische Abstufungen; er wäre durchaus in der Lage gewesen, uns Unterricht in Fragen des Protokolls zu geben, aber das war gar nicht nötig: Man merkte auch so, was er meinte.

Der langgestreckte, von bewaldeten Hügeln eingefaßte See vor Schloß Friedrichstein.

In rascher Fahrt ging es durch die Lindenallee, die von Löwenhagen nach Friedrichstein führt, dann den Hohlweg herunter, links der See und rechts vor uns das Schloß. Der Erbauer des Hauses, Otto-Magnus Dönhoff – sechs Generationen vor mir –, hatte damals, Anfang des 18. Jahrhunderts, einen herrlichen Platz ausgewählt: Vor der Auffahrt, also der Vorderseite, zog sich ein Rasenplatz hin und dann ein langgestreckter See, von bewaldeten Hügeln eingefaßt. Die dem Park zugekehrte Rückseite des Hauses war dreistökkig, im Gegensatz zu den zwei Geschossen der

Vorderseite, denn das Terrain fiel hier gegen die Pregelniederung hin ab.

Wenn man die schwere Haustür öffnete, sah man in eine große Halle, über deren drei Türen als Supraporten die von Friedrich dem Großen geschenkten Gemälde seiner Hunde hingen. Rechts und links zwei riesige Danziger Schränke. Die mittlere Tür führte in einen hellen, stuckdekorierten Gartensaal. Wenn hoher Besuch kam, wurden alle Türen geöffnet: die schwere Hallentür, dann die zum Saal und schließlich die hohe Flügeltür, die vom Saal auf einen säulengefaßten

Balkon führte, der den Blick auf einen großen, von Hecken umsäumten Rasenplatz freigab. Am Ende des Rasens begannen zwei parallel verlaufende Alleen, die bis in die grüne Unendlichkeit der Pregel-Wiesen reichten. Die Reaktion der Besucher angesichts dieses Anblicks war stets staunende Verblüffung: »Schöner als Versailles«, sagte einmal einer. In der Tat war der Effekt, durch das Schloß hindurch auf eine prachtvoll gepflegte Landschaft zu blicken, ein ungewöhnliches Vergnügen.

Für mich begann nun wieder der Unterricht daheim. Es war ein bißchen einsam. Lustig wurde es nur, wenn fürs Wochenende die Geschwister aus Königsberg kamen. Dann stiegen mein jüngster Bruder und ich auf den Boden, der viele Geheimnisse barg und den außer uns kaum jemand betrat. Der Boden erstreckte sich über die ganze Länge des Hauses; zwischen den gewaltig dicken Balken war hin und wieder ein Verschlag angelegt, in dem wir herrliche Dinge entdeckten. Da lagen in großen Haufen Netze für die Wolfsjagd, denn bis zur Mitte des vorigen Jahrhunderts hatte es noch Wölfe in der Gegend gegeben, gelegentlich sogar einmal einen verirrten Luchs. Wir fanden herrliche Kulissen und altmodische Requisiten von Theateraufführungen früherer Generationen, auch eine Tafel, auf der eichenumkränzt die rückkehrenden Helden begrüßt wurden – offenbar ein Willkommen für meinen Vater und seinen Zwillingsbruder, als sie 1871 aus dem Krieg gegen Frankreich heimkehrten.

Mit Hilfe einer Leiter konnte man zwischen den Balken hoch hinauf, fast bis in den First des Daches klettern, eine Luke öffnen und weit über das Land schauen. Für mich war dies einer der schönsten Plätze des Hauses. Unten, in den repräsentativen Räumen, war es arg feierlich, auch mußte man sich wegen des herumstehenden Porzellans und der Terrakotten immer sehr gesittet bewegen. Anders war es nur in der sogenannten Kleinen Halle, die sich seitlich an die große Eingangshalle anschloß und von der aus eine breite, ziemlich steile Treppe im Bogen nach oben zu den Königsstuben führte. Diese Treppe – das hatten die großen Geschwister erfunden – konnte man auf einem Tablett wie auf einem Rodelschlitten mit Karacho hinuntersausen.

Der Tag hatte viele religiöse Markierungen. Jeden Morgen die schon erwähnte Andacht, zu der alle Kinder und alle Hausleute erschienen. Zu Beginn wurde ein Choral gesungen, den meine älteste Schwester auf dem Harmonium begleitete, dann las meine Mutter einen Psalm oder ein Kapitel aus einem der Evangelien. Am Schluß beteten alle zusammen das Vaterunser. Vor und nach jeder Mahlzeit wurde ein Tischgebet gesprochen; meist mußte ich beten, weil ich die Jüngste war.

Ich hatte dieses Amt von dem Bruder, der mir im Alter am nächsten stand, übernommen. Das Gebet: »Komm, Herr Jesus, sei unser Gast ...« hatte ich daher nie geschrieben gesehen, sondern es immer nur gehört. So wunderte ich mich denn lange Zeit, warum wohl das Gebet mit einem Komma anfinge: Komma Jesus, sei unser Gast ... Ich war damals offenbar bereit, alles hinzunehmen – wohl zu staunen, aber nicht zu fragen, weil ich von den Großen doch nur ausgelacht wurde. So wunderte ich mich denn ebenfalls vergeblich, wer wohl jene Martha sei, von der in dem häufig gesungenen Lied »Die wir uns allhier beisammen finden ...« die Rede ist – dort heißt es: » uns auf deine Marter zu verbinden, schlagen wir die Hände ein ...«

Sonntags gingen wir alle in die Kirche nach Löwenhagen. Der jeweilige Besitzer von Friedrichstein war Patron dieser Kirche und zu meiner Kinderzeit auch noch von zwei weiteren Kirchen, Borchersdorf und Ottenhagen. Als diese Güter an die Siedlungsgesellschaft verkauft wurden, entfielen auch die Patronate, mit denen verschiedene Lasten verbunden waren – freilich auch das Recht, den Pfarrer auszuwählen. In der Kirche in Löwenhagen hatten der Patron und seine Familie ein Extragestühl gegenüber der Kanzel, oberhalb der Gemeinde, sozusagen im ersten Rang. Dort standen fünf oder sechs rotbezogene Stühle. Der erste, nahe der Orgel, war für den Patron bestimmt, auf den anderen nahm die übrige Familie Platz.

Von der Predigt verstand ich meist nicht viel, vergaß im allgemeinen wohl auch zuzuhören, weil es viel interessanter war, alles zu beobachten. Beispielsweise, wie der Vater, wenn er betete, seinen Hut vor die Stirn hielt, so daß sein Gesicht bedeckt war; oder wie Fräulein Lunau, wenn an hohen Feiertagen der Chor vor der Orgel aufgebaut war, in heftiger Verzückung den Mund weit aufriß. Auch konnte ich aus meiner Froschperspektive – ich war zu klein, um über die Brüstung zu schauen – nicht den Pfarrer, wohl aber das Schnitzwerk über der Kanzel sehen: Wenn ich den Kopf ein wenig schief hielt, dann glich jenes Schnitzwerk einem Clown mit Zipfelmütze. Immer wieder war ich damit beschäftigt zu sehen, ob er auch wirklich noch da war.

Der Vater

Meinen Vater habe ich kaum gekannt. Als er mit fünfundsiebzig starb, war ich noch nicht zehn Jahre alt. Ich kann mich genau an diesen Tag erinnern. Es war ein sonniger Septembertag, im Hause herrschte eine ungewohnte Atmosphäre, alle schlichen bedrückt umher. Ich sehe mich ganz allein in dem großen Saal auf einem Stuhl sitzen, mit herunterhängenden Beinen; die Sonne malte Schattenmuster auf das Parkett, eine Wespe summte durch den Raum, sonst war es totenstill.

Eines der älteren Geschwister hatte gesagt: »Der Vater liegt im Sterben, aber du bleibst besser hier.« Alle waren um ihn versammelt, nur ich war wieder »zu klein« und darum, wie so häufig, ausgeschlossen. Ich weiß nicht, was mich trauriger machte, dieser Umstand oder der Tod des Vaters, dessen Bedeutung ich natürlich nicht im entferntesten begriff.

Am stärksten hat sich mir von ihm ein Bild eingeprägt, das sich an vielen winterlichen Abenden bot. Sein Arbeitszimmer war das letzte einer langen Flucht von Räumen, die die gesamte Länge der zum Park hingewandten Seite des etwa neunzig Meter langen Schlosses einnahm. Da die Türen von einem Raum zum anderen stets offen standen, konnte man ihn dort, in großer Entfernung, von seiner Lampe beschienen am Schreibtisch sitzen sehen. Es war, als sähe man einen lichten Punkt am Ende eines langen, dunklen Tunnels.

Wenn ich ihn tagsüber irgendwo durchs Haus wandern sah, verdrückte ich mich schnell, aus Angst, ihm vorlesen zu müssen. Er hatte sehr schlechte Augen, und da die Sekretärin nicht überanstrengt werden sollte, er aber stets begierig war, zu erfahren, was in den anderen drei oder vier Zeitungen stand, deren Inhalt er noch nicht zur Kenntnis genommen hatte, spähte er forschend nach den Kindern aus. Auch die Großen ließen sich ungern erwischen, weil sie immer weit Interessanteres vorhatten, für mich aber, die ich noch gar nicht ordentlich lesen konnte, war es geradezu eine Qual, wenn es mir einmal nicht gelungen war zu entkommen und ich mich dann durch vollkommen unverständliche Texte hindurchbuchstabieren mußte.

Mein Vater hat mit einundzwanzig Jahren beim Königs-Husarenregiment als Vizewachtmeister den Krieg gegen Österreich mitgemacht und vier Jahre später als Reserveoffizier den Deutsch-Französischen Krieg. Gleich darauf, im Sommer 1871, ist er zum Auswärtigen Dienst zugelassen und als Attaché an die Botschaft in Paris geschickt worden. Aber der Beruf des Diplomaten hat ihn offenbar nicht sonderlich gefesselt, denn er gab ihn schon zehn Jahre später wieder auf.

Vor kurzem habe ich, im Archiv des Auswärtigen Amts in Bonn nachforschend, zum erstenmal seinen Werdegang verfolgen können. Aus dem Material, das vom Abiturzeugnis an lückenlos vorliegt, ergibt sich, daß er als junger Mann sehr viel hin und her geschickt worden ist: 1874 ist er als Dritter Botschaftssekretär mit 4.200 Mark Jahresgehalt in Petersburg; es folgen Wien und London, schließlich 1878 Washington als Legationssekretär mit 10.800 Mark im Jahr.

Wenn man die Akten durchsieht, hat man den überraschenden Eindruck, daß er sich mehr auf Urlaub als im Dienst befand – beruhigenderweise stets auf »unbezahltem Urlaub«. 1873 ein Urlaub für den Kaukasus und das südliche Rußland; 1875 ein Urlaub, um Kuba, Mexiko, Japan und China zu bereisen, anschließend um ein Jahr verlängert. Im März 1881 ist er wieder auf Reisen, soll aber demnächst in Kairo eintreffen, wie das Auswärtige Amt mitteilt, das dorthin einen Brief seines Regiments weitergeleitet hat.

Von den Kurzurlauben ist er öfter zu spät zurückgekehrt, wie dem Staatssekretär von Bülow vorwurfsvoll berichtet wird: »Eigenmächtig den Urlaub überschritten«, heißt es da, und es klingt, als sei ein Tadel ins Klassenbuch eingetragen worden. Im Jahr 1882 reicht er seinen

Abschied ein und wird im Juli jenes Jahres aus dem Reichsdienst entlassen. Seine Begründung: Seit dem Tod seines Vaters ist er erbliches Mitglied des Preußischen Herrenhauses und will sich mehr der Politik widmen. Im privaten Bereich wandte er sich seiner Passion, dem Sammeln von Kunstgegenständen zu. Er stand mit Antiquaren und Museen in aller Welt in Verbindung, vor allem mit Wilhelm Bode, dem späteren Direktor des Kaiser-Friedrich-Museums in Berlin. In jener Zeit, also während der letzten Jahrzehnte des vorigen Jahrhunderts, konnte jemand, der etwas davon verstand, auch ohne viel Geld großartige Sammlungen zusammenbringen.

Mein Vater war immer viel auf Reisen, was damals im Gegensatz zu heute keineswegs üblich war. Heute erscheint es uns ganz unvorstellbar, daß selbst ein Mann wie Konrad Adenauer, der als Oberbürgermeister von Köln und als Mitglied des Preußischen Staatsrats jahrzehntelang eine nicht unwesentliche Rolle in der deutschen Politik gespielt hat, zum ersten Mal als Bundeskanzler, also als Siebzigjähriger, nach Paris und Rom gereist ist. In jener Zeit, da mein Vater auf Weltreisen ging, zwischen 1875 und 1895, war dies für die zurückbleibende Familie eine nicht endende Beängstigung, denn während vieler Monate kam ja kein Lebenszeichen des Reisenden.

Eines Tages, ich lebte schon seit vielen Jahren in Hamburg, rief mich eine Dame aus Berlin an und erzählte, sie habe bei ihrem Antiquar eine silberne Kaffekanne gesehen, auf der etwas von einem Dönhoff eingraviert sei. Ich schrieb dem Antiquar und bat ihn, mir die Kanne zur Ansicht zu schicken und mir zu sagen, wieviel er gegebenenfalls dafür haben wolle. Bald darauf kam der als Kaffekanne beschriebene Gegenstand und entpuppte sich als Abendmahlskanne, die meine Großmutter – offenbar einem Gelübde zufolge – der heimischen Kirche gestiftet hatte, als Dank für die gesunde Rückkehr ihres ältesten Sohnes von einer Weltreise. Der eingravierte Satz lautete:

Zum Andenken an die gottbegnadete
Heimkehr des Kirchenpatrons

Graf August Dönhoff

von seiner Weltreise den 24. Mai 1881

Der Kirche zu Borchersdorf geschenkt
von der dankbaren Mutter
Pauline Gräfin Dönhoff geb. Lehndorff

Wahrscheinlich war die Kanne in den Kriegswirren in Ostpreußen gestohlen worden, dann auf mancherlei Umwegen nach Berlin gelangt und schließlich einhundert Jahre nach ihrer Entstehung zu mir als Vertreterin der Familie zurückgekehrt. Es gab übrigens noch ein kurioses Nachspiel: Der Antiquar hatte den Preis mit DM 700.- beziffert, ich schrieb zurück, ich sei bereit, diesen Preis zu zahlen, er möge mir bitte sein Konto nennen. Nichts erfolgte. Auch eine nochmalige Aufforderung, mir mitzuteilen, wohin das Geld überwiesen werden solle, blieb ohne Antwort. Schließlich bat ich jene Dame, doch einmal zu ihm zu gehen und mir dann Bescheid zu geben. Es stellte sich heraus: der Laden existierte nicht mehr, der Mann war pleite, und niemand wußte, wo er sich aufhielt. Nun, ich hatte mich ordnungsgemäß bemüht und fand es dann schließlich ganz in der Ordnung, daß dieses Diebesgut auch ohne Entgelt zur Enkelin der Stifterin zurückgefunden hatte.

Wie sehr bedaure ich heute, nicht mehr von meinem Vater zu wissen. Wie interessant wäre es gewesen, ihn, den Abgeordneten des Reichstags und zugleich Mitglied des Preußischen Herrenhauses, ausfragen zu können; denn in diesen beiden Institutionen stoßen die alte und die neue Zeit nahtlos aneinander. Die Schwelle war auch hier der Erste Weltkrieg, bis zu dessen Ende das Preußische Herrenhaus ja noch existierte. Reichstag und Preußisches Herrenhaus, das sind zwei Grundmuster, die eigentlich einander ausschließen, und natürlich hat der, der zur gleichen Zeit beiden angehörte, höchst interessante Beobachtungen machen können.

Der Reichstag, nach allgemeinem, geheimem Wahlrecht gewählt – während im Preußischen Landtag noch das Dreiklassenwahlrecht galt –, repräsentierte die moderne Zeit und die beginnende Industriegesellschaft. Auch wenn die Politik, vor allem die Außenpolitik, dem Parlament noch weitgehend entzogen war, so waren hier doch die neuen Kräfte des Industriestaates sichtbar vertreten. Die Sozialdemokraten waren bereits bei der Wahl von 1912 mit 110 Sitzen in den Reichstag eingezogen; noch vor dem Ersten Weltkrieg bildeten sie also die stärkste Fraktion.

Das Preußische Herrenhaus dagegen war ein Sinnbild der vorindustriellen agrarischen Zeit. Hier hatte der Adel noch alle Privilegien einer Klassengesellschaft. Auch gab es im Preußischen Herrenhaus keine Parteien oder Fraktionen. Ein großer Teil der Mitglieder – zu ihnen gehörten alle Chefs der ehemals regierenden oder reichsunmittelbaren Familien sowie die Inhaber großer Fideikommisse oder Majorate – hatte dort einen erblichen Sitz. Der niedere Adel, in Adelsverbänden zusammengeschlossen, durfte einige Vertreter entsenden. Man kann sagen, daß drei Viertel aller Mitglieder des Preußischen Herrenhauses der Aristokratie angehörten. Das letzte Viertel rekrutierte sich aus verdienten Ministern, hohen Beamten, Generälen, kirchlichen Vertretern und Industriellen wie beispielsweise Stumm, Siemens und Krupp – diese zuletzt genannte Kategorie wurde vom König ernannt. Ferner entsandten die preußischen Universitäten insgesamt zehn Vertreter und schließlich neunundvierzig preußische Städte je einen – zu ihnen gehörte seit 1917 auch Konrad Adenauer als Oberbürgermeister von Köln.

Golo Mann schreibt in einem Aufsatz »Das Ende Preußens«: »Ich habe den verstorbenen Bundeskanzler, der zwischen Herrenhaus und dem Bonner Bundestag so manche beratende Versammlung erlebt hat, einmal gefragt, welches Parlament seiner Meinung nach das höchste Niveau gehabt habe. Adenauers Antwort war überraschend. Er sagte: ›Das Preußische Herrenhaus.‹«

Vieles hätte ich von meinem Vater lernen können, der ein unvoreingenommener, aufmerksamer und neugieriger Beobachter war – Freunde nannten ihn, wie einer von ihnen mir erzählte, »den Mann, der alles wissen will«. Auf einem langen, schmalen Tisch in seinem Arbeitszimmer lagen täglich, neben den deutschen Zeitungen, deren Spanne von der Kreuz-Zeitung bis zur Frankfurter reichte, *The Times*, *Le Temps* und der *Figaro*.

Unvoreingenommen: Ich erinnere mich an zwei Geschichten, die meine Mutter mit einem gewissen Amüsement erzählte. Im Schloß in Berlin fand ein Hoffest statt, und da meine Mutter Palastdame der Kaiserin war, schien es geboten, noch pünktlicher als die anderen Gäste zu erscheinen – was sich an jenem Tag als schwierig erwies. Normalerweise erfolgte der Umzug von Ostpreußen nach Berlin für die Sitzungsperiode der beiden Parlamente mit der ganzen Familie und allem Zubehör; auch Oberkutscher Grenda, Pferde und Wagen wurden mitgenommen. Warum Grenda an jenem Abend in Berlin nicht zur Stelle

Mein Vater, August Karl Dönhoff, als junger Mann Diplomat, dann Mitglied des Preußischen Herrenhauses und von 1881 bis 1903 auch des Reichstags.

gewesen ist und die gewiß ersatzweise vorgesehene Beförderung offensichtlich auch nicht, weiß ich nicht. Jedenfalls wurde es später und später; schließlich ging mein Vater hinunter auf die Straße, wahrscheinlich in der Hoffnung, irgendein ebenfalls geladener Grande werde vorbeifahren und ihn und meine Mutter mitnehmen. Aber es kam nur ein Gemüsewagen, der sich auf dem Heimweg befand.

»Guter Mann«, sagte mein Vater, nachdem er ihn zum Halten veranlaßt hatte, »könnt ihr uns zum Schloß fahren?«, und wahrscheinlich hat er hinzugefügt: »Es soll Euer Schade nicht sein.« Die Bereitschaft war vorhanden, und so kletterten die beiden in Frack und großer Toilette auf den Bock, setzten sich zu dem Kutscher und fuhren am Schloß vor, wo man über diesen Aufzug sicherlich nicht schlecht gestaunt hat.

Die andere Geschichte hatte ebenfalls etwas mit dem Hof zu tun. Nach solchen Festen pflegte ein Teil der Gesellschaft am nächsten Tag im Hotel Adlon neben dem Brandenburger Tor zu frühstücken – da saßen sie dann beisammen, die Herzöge von Arenberg und Ratibor mit ihren Frauen, Fürst und Fürstin Lichnowsky und wer da sonst noch eine Rolle spielte.

Mein Vater, der immer viel zu tun hatte und die Gesellschaft der Standesherren ja schon am Abend vorher genossen hatte, war mit dem jüdischen Rechtsanwalt Silberstein verabredet. So saß er also mit meiner Mutter und Silberstein zusammen, ebenfalls im Adlon. Meine Mutter, die über zwanzig Jahre jünger war als mein Vater und sich infolgedessen gern amüsierte, sagte, sie habe ein wenig sehnsüchtig und auch ein bißchen geniert zu den anderen hinübergeblickt, die ihrerseits wahrscheinlich einigermaßen verwundert über den Nebentisch gewesen sind.

Als Kind kannte ich nur eine Geschichte von meinem Vater, und die war sehr aufregend, denn es handelte sich darum, daß er in die letzte kriegerische Auseinandersetzung der Amerikaner mit den Indianern verwickelt gewesen war. Ich hörte einmal davon, als die großen Geschwister untereinander darüber sprachen, aber meine aufgeregten Fragen hatten sie nicht beachtet, und den Vater nach dieser Episode zu fragen, hätte ich nie gewagt. Zu groß war die Entfernung von ihm zu mir.

Jahrzehnte später konnte ich sie dann aus amerikanischer Sicht schwarz auf weiß lesen; ein Historiker, Marshall Sprague, der die Geschichte seines Heimatstaates Colorado aufgezeichnet hat, berichtet darüber in einem Buch, »Massacre – The Tragedy at White River«:

Im September 1879 befand sich der damalige amerikanische Innenminister Carl Schurz auf einer Inspektionsreise der Indian Agencies in der

38

Gegend von Colorado Springs. Schurz, ein geborener Rheinländer, der sich als Student der demokratischen Bewegung angeschlossen hatte, war nach dem Aufstand 1849 aus Deutschland zunächst in die Schweiz, später nach Frankreich und England geflüchtet und 1852 nach Amerika ausgewandert. Er ist einer der ersten Politiker gewesen, die für die Eingliederung der Indianer in die amerikanische Gesellschaft eingetreten sind.

Mein Vater, der damals der deutschen Gesandtschaft in Washington angehörte, war mit Schurz befreundet und hatte sich mit ihm in Denver getroffen. Gemeinsam besuchten sie einen dritten Landsmann, General Charles Adams, der ursprünglich Carl Schwanbeck hieß und aus Anklam in Pommern stammte. Seine Aufgabe war es, die Poststraßen in Colorado und New Mexico zu überwachen. Zu diesen dreien stieß schließlich noch der Sohn des amtierenden Präsidenten Hayes und ein alter Freund von Schurz, der Dichter Walt Whitman, der nach Veröffentlichung seines anstößigen *Leaves of Grass* 1855 seinen Job im Innenministerium verloren hatte.

In der dortigen Gegend befand sich das Reservat der Utah-Indianer, die von der weißen Umgebung angefeindet wurden, weil die Farmer ein Auge auf das fruchtbare Land der Utah geworfen hatten und weil außerdem kurz zuvor in der gleichen Gegend die großen Silbervorkommen von Leadsville entdeckt worden waren. Dies hatte zu einer gespannten Atmosphäre geführt, die sich just in jenen Tagen in einem Massaker entlud, das die Indianer unter den Weißen der Indian Agency anrichteten. Ihr Chef und einige andere Weiße waren ermordet, seine Frau und Tochter von den Utahs entführt worden.

Im ganzen Land war die Erregung groß, und am Ort erhob sich der Schrei nach Militär und Vergeltung besonders laut. Schurz, der nach Washington zurückeilte, und General Adams waren fest entschlossen, alles zu tun, damit die Frauen durch Verhandlungen gerettet werden könnten, ohne daß die Armee eingreifen mußte.

Mein Vater bot seine Hilfe an, bestieg ein Pferd und schloß sich General Adams und seinem Trupp an, wobei ihn die Frage, was wohl seine Vorgesetzten in Washington sagen würden, wenn sie wüßten, in was für eine abenteuerliche Situation ein Mitglied der deutschen diplomatischen Vertretung sich da begab, offenbar nicht sonderlich beunruhigte. Ziel der Expedition war zunächst das Gebiet am Rio Grande, wo der Häuptling der Utah residierte, der sich übrigens genauso große Sorgen über die Konsequenzen des Massakers machte wie der Minister Schurz.

Was dann folgte, war ein abenteuerlicher Weg auf Indianerpfaden, durch Schluchten, über

Geröll und hinauf auf 3.500 Meter Höhe. Tagelang waren sie unterwegs, aber schließlich fanden sie tatsächlich das Lager, und nach langen Verhandlungen wurden die Frauen »unbeschädigt« freigegeben.

»Unbeschädigt« war die Hauptsache, denn die allgemeine Befürchtung war gewesen, sie würden, wie in früheren Fällen, vergewaltigt werden. Wäre dies geschehen, wäre der Rachefeldzug gegen den Utah-Stamm trotz aller Bemühungen von Schurz nicht aufzuhalten gewesen.

Meine Mutter war, wie schon erwähnt, Palastdame der Kaiserin, und so war der Hof für sie
natürlich eine Richtschnur für viele Anschau-
ungen, und ich nehme an, daß gewisse Sitten von
dorther übernommen worden sind. Beispielsweise der Ausdruck »untertänigst«, eine Rede-
wendung, mit der Briefe an den Kaiser unter-
zeichnet wurden. Der Morgengruß der Mädchen
in Friedrichstein lautete: »Untertänigst, guten
Morgen, Exzellenz.« Die Dorfleute – jedenfalls
die, zu denen ein besonders enges und herzliches
Verhältnis bestand, beispielsweise zu Frau Ott,
der Frau des Milchkutschers, die meine älteren
Schwestern Weben und meine Mutter Spinnen
gelehrt hatte – sagten »Exzellenzchen«, denn in
Ostpreußen wurde an alles, was man gern hatte,
das Diminutiv angehängt; so wurden die Hausmädchen mit Bertchen, Annchen, Friedchen
angeredet.

Meine Mutter hatte mehrere Geschwister:
einer der Brüder lebte in Südamerika, was damals
sozusagen das Ende der Welt war. Zu ihrer Mutter,
einer geborenen Gräfin Schlippenbach, sagte sie
nach altmodischer Art »Frau Mutter« und »Sie«.
Einen Teil ihrer Jugend hatte sie bei den Großeltern, den ungarischen Grafen Sermage, ver-

bracht, die in Kroatien angesessen waren. Einmal im Jahr fuhren ihre Eltern per Pferdewagen von Mecklenburg dorthin. Der Besitz hieß Heiligenkreuz und liegt im heutigen Jugoslawien. Gott weiß, wie viele Wochen diese Reise gedauert haben mag.

Meine Mutter war eine musische Frau, voller Phantasie, ein wenig romantisch, weswegen sie von ihren Brüdern oft geneckt worden ist. Sie hatte eine schöne Stimme, schrieb hübsche Märchen für den Hausgebrauch, malte ein bißchen und konnte wunderbar sticken. Kurz vor 1900 hat sie für ein Kabinett in Friedrichstein die Wandbespannung in der Manier des Jugendstils gestickt – eine höchst originelle Arbeit. Es gab übrigens noch ein anderes Kabinett, dessen Bespannung hundertfünfzig Jahre zuvor, im 18. Jahrhundert, von der damaligen Hausfrau, einer Kameke, gestickt worden war: Auf einer Art Sackleinwand waren kleine chinesische Figuren appliziert, die sich in einer gemalten, asiatischen Landschaft bewegten. Da der Raum selten benutzt wurde, war das Ganze sehr gut erhalten.

Für meine Mutter bedeutete es einen Höhepunkt, wenn der Kronprinz und die Kronprinzessin oder manchmal auch diese allein zu Besuch nach Friedrichstein kamen, was auch in den zwanziger und dreißiger Jahren, also zwischen den beiden Kriegen, gelegentlich noch geschah. Eine

43

späte Erinnerung an einen Besuch der Kaiserin, der vor dem Ersten Weltkrieg stattgefunden hatte, wurde mir Jahrzehnte später zuteil. Ich war schon Journalistin in Hamburg und hatte etwas zu irgendeinem historischen Gedenktag geschrieben. Daraufhin kam ein Brief von dem mir persönlich nicht bekannten Sohn unseres früheren Administrators Hand, dem obersten Verwalter der Friedrichsteiner Güter.

Vor dem Schloß vorgefahren: Kutscher Grenda. Im Fond des Wagens sitzen Kaiserin Auguste Viktoria und meine Mutter.

Er schrieb, daß neben dem Ereignis, mit dem ich mich beschäftigte, an diesem Tag eine ebenfalls denkwürdige Begebenheit stattgefunden habe, nämlich der Besuch der Kaiserin in Friedrichstein. Schon Wochen zuvor, so schilderte er, waren die Verantwortlichen in Königsberg, die Bürgermeister der Dörfer, durch die die Fahrt führen sollte, die Frauenvereine, Kriegervereine, Schulen und natürlich meine Mutter in äußerste

Unkenntlich unter ihren riesigen Hüten: die Kaiserin mit meiner Mutter.

45

Erregung versetzt worden. Bei ihr hatte sich dieser Zustand schließlich zur Verzweiflung gesteigert, weil eine Viertelstunde vor der natürlich auf die Minute festgelegten Ankunft der Kaiserin mein Vater noch immer unauffindbar war; schließlich sei er mit schmutzigen Stiefeln und alter Hose in größter Ruhe als lebender Kontrast zu der allgemeinen Erregung vor der Haustür erschienen, aber letzten Endes dann doch im rechten Moment und auch neu gekleidet zur Stelle gewesen.

Die Schilderung scheint mir sehr typisch für beide: für Vater, der offenbar immer gelassen war und in Kleiderfragen für damalige Zeiten erstaunlich gleichgültig – »Sag mal, wer trägt eigentlich deine Anzüge, wenn sie neu sind?« hatte ihn einmal ein Freund gefragt –, und für meine Mutter, die größten Wert darauf legte, daß stets alles *comme il faut* war.

Ich hatte bei einer ähnlichen Gelegenheit als Halbwüchsige ihren großen Zorn erregt, weil ich mich weigerte, dem Befehl nachzukommen, noch einmal in mein Zimmer zu gehen und elegantere Schuhe anzuziehen. Solcher Protest war meine einzige Möglichkeit, mich gegen den, wie ich fand, übertrieben monarchistischen Rummel aufzulehnen.

Als ich fünfzehn war, wurde ich auf eine Schule nach Potsdam geschickt und lernte dort den etwa gleichaltrigen Han Plessen kennen. Sein Großvater war Generaladjutant und Kommandeur des kaiserlichen Hauptquartiers im Ersten Weltkrieg gewesen, also eine wichtige Persönlichkeit am Hof. Als wir uns etwas besser kannten, sagte Han eines Tages zu mir, und es klang wie ein Bekenntnis: »Ich bin kein Monarchist.« Mir war ganz revolutionär zumute, als ich mit großer Überzeugung erwiderte: »Ich auch nicht.« Der Kaiser war erst seit ein paar Jahren von der Bühne abgetreten, und angesichts unseres Herkommens war eine solche Äußerung, wenn auch nicht revolutionär, so doch mindestens ein Beweis dafür, daß jede Generation neue Maßstäbe setzt.

Ein großer Tag war alljährlich der Geburtstag meiner Mutter am 12. Juli. Am Morgen bei der Andacht wurde, wie übrigens bei all unseren Geburtstagen, »Lobet den Herrn« gesungen, dann der 121. Psalm gelesen, und danach folgte das Lied »So nimm denn meine Hände . . .« Am späteren Vormittag kamen »die Beamten«, also die Inspektoren der Güter, um zu gratulieren, es gab Torte und ein Glas Mosel. Abends war großes Diner, und dazu erschienen, so lange ich zurückdenken kann und auch später alle Jahre, bis zum Ausbruch des zweiten Krieges, drei getreue Freunde: Adolf von Batocki, Graf Manfred Brünneck und Exzellenz von Berg.

Alle drei waren ebenso liebenswerte wie interessante Persönlichkeiten. Batocki, Oberpräsident von Ostpreußen, also der oberste Chef der Provinz, war im Ersten Weltkrieg Reichsernährungskommissar gewesen; zuvor, Ende 1914, nach dem Rückzug der russischen Armee, hatte er den Wiederaufbau der zerstörten ostpreußischen Städte geleitet und die Rückführung der Flüchtlinge überwacht. Er besaß einen scharfen Intellekt, war ideenreich, entscheidungsfreudig und energisch. Von jedermann geachtet, hatte er auch in den ersten Wirren nach 1918 keine Schwierigkeiten, mit den veränderten Umständen fertigzuwerden.

Batockis Name ist gelegentlich in Zusammenhang gebracht worden mit dem Vorwurf, die ostpreußischen Großgrundbesitzer, die sich der geplanten Siedlungspolitik widersetzten, hätten 1932 Reichspräsident Hindenburg dazu überredet, Brüning zu stürzen. Dies trifft auf Batocki mit Sicherheit nicht zu, denn er stand der Politik Brünings durchaus nahe und hatte mit engen agrarischen Interessen nichts im Sinn. Allerdings mag es sein, daß er in Berlin mit Skepsis beurteilt wurde, weil er für seine Provinz mehr Selbstverwaltung und mehr Entscheidungsspielraum verlangte. Er strebte einen gewissen Grad an Autonomie für Ostpreußen an; in den Augen der Bürger war dies durchaus berechtigt, denn Ostpreußen war ja seit 1918 durch den polnischen Korridor vom Reich getrennt, und so konnte man sich vorstellen, daß unter Umständen rasche Entscheidungen vor Ort nötig sein würden.

Der Korridor war natürlich ein jedermann beängstigendes Ergebnis des, wie es hieß, »Schandfriedens von Versailles«.

Wenn wir Ostpreußen nach Berlin reisten, hieß es: »Wir fahren ins Reich.« Im Gegensatz zum Reich lebten wir »in der Provinz«. Durch den polnischen Korridor zu reisen war in den ersten Jahren nach 1918 ein abenteuerliches Unternehmen. Die Vorhänge aller Abteile mußten zugezogen werden, niemand durfte hinausschauen, und man war auf alles gefaßt. Immer wieder mußten Reisende aussteigen, weil irgend etwas mit ihrem Paß nicht in Ordnung schien oder weil sie verdächtigt wurden, polnisches Geld bei sich zu haben.

Tiefen Eindruck hat mir als Kind eine Geschichte gemacht, die meine Mutter berichtete, als sie zum ersten Mal von einer solchen Reise zurückkehrte: Eine Mitreisende hatte erzählt, wie ihre Freundin an der Grenze von den Polen zur Leibesvisitation aus dem Zug geholt worden war. Bei dieser Prozedur entdeckte die inspizierende Beamtin auf dem Hinterteil der Betreffenden eine gedruckte Botschaft: Sie schien als Agentin entlarvt zu sein. Des Rätsels Lösung: die Ahnungslose hatte zuvor den nicht eben sehr sauberen Ort des D-Zuges aufgesucht und vorsichtshalber den Rand mit Zeitungspapier abgedeckt; die Druckerschwärze hatte offensichtlich abgefärbt.

Neben Adolf von Batocki war der zweite getreue Freund Graf Manfred Brünneck. Er war ein hochgebildeter Ästhet, der sich auf höchst eigenwillige Weise kleidete. Beispielsweise trug er ein breites lila Plastron, nicht eine Krawatte, zu einem gelben Gehrock mit hellen Gamaschen über den Schuhen, die wir »Hundedeckchen« nannten, weil sie aufs Haar jenen komischen sattelartigen Gegenständen glichen, mit denen die Besitzer von Rehpinschern ihre frierenden Hündchen wärmen. Brünneck pflegte aus einer goldenen Tabaksdose zu schnupfen und sich dann in ein großes rotes Taschentuch zu schneuzen.

Er war Landeshauptmann von Ostpreußen, also Leiter der Provinzialselbstverwaltung, ein Titel, der mir sehr geheimnisvoll erschien und von dem ich auch später nie ganz genau herausfinden konnte, welche Funktionen damit eigentlich verbunden waren. Viele solcher Titel waren wohl nur prestigeträchtig und bezeichneten keine faktische Kompetenz.

Brünnecks Besitz Bellschwitz gehörte zur Nachbarschaft von Neudeck, dem Gut Hindenburgs. Kein Wunder, daß auch er verdächtigt wurde, am Sturz Brünings mitgewirkt zu haben. Sicherlich ist dies ebenso unzutreffend wie im Fall Batockis. Auch Brünneck war ein Anhänger der Brüningschen Gedanken und ein Gegner des von Kapp – dem Anstifter des reaktionären Kapp-Putsches von 1920 – gegründeten Heimatbundes. Übrigens war Brünneck schon vor 1930 aus der Deutschnationalen Volkspartei ausgetreten.

Gleich nach dem Sturz Brünings hieß es, und auch heute noch glauben es viele, daß die »ostelbischen Junker« ihre engen Beziehungen zu Hindenburg ausgenutzt hätten, um die verschärften Siedlungsmaßnahmen, die der Ostkommissar Schlange-Schöningen entworfen hatte, zu verhindern. Sie hätten, so heißt es, beschlossen, das Kabinett Brüning zu stürzen und es durch eine ihren Interessen besser entsprechende Präsidialregierung zu ersetzen.

In einem umfangreichen Briefwechsel zwischen Brünneck und Brüning, der im Geheimen Staatsarchiv in Berlin-Dahlem liegt, stehen hierzu eine Reihe interessanter Einzelheiten. Brüning schrieb am 12.10.1948 an Brünneck: »Es war nicht der Adel, der mich gestürzt hat.« Er beabsichtige, in der Deutschen Rundschau tendenziösen Berichten deutscher Emigranten über die Verantwortung des deutschen Adels für seinen Sturz entgegenzutreten: »In schwierigen Lagen, im Januar und Februar 1932, sind es Mitglieder des ostpreußischen und schlesischen Adels gewesen, die mich beim Reichspräsidenten gerettet haben.« Die Schuldigen an seinem Sturz, so meint er, seien Meissner und Schleicher gewesen.

Ernst Rudolf Huber schreibt in der »Deutschen Verfassungsgeschichte seit 1789«, daß es nicht »gutnachbarliche Quertreibereien« gewesen sind, die den auf Gut Neudeck weilenden Reichspräsidenten zum Widerstand gegen die Kabinettsvorlage veranlaßten, sondern vielfältige Einsprüche »berufsständischer Vertretungen der Landwirtschaft«, die Bedenken hatten gegen die im Gesetz vorgesehene Zwangsversteigerung des nicht entschuldungsfähigen Grundbesitzes. Die Zwangsversteigerung durch eine Regierungsstelle ohne Antrag der Gläubiger, bei der dann diese Regierungsstelle als »Bieter« den Preis bestimme, erschien auch dem Reichspräsidenten als eine nicht vertretbare Enteignung ohne Rechtsgrundlage. Dazu Huber: »Die Einwendungen des Reichspräsidenten waren sachlich begründet. Unter jedem rechtsstaatlichen Regime wäre die Verwaltung, wenn sie die Notlage eines Wirtschaftszweiges zu benutzen suchte, um Betriebe im Verfahren der Zwangsversteigerung in die Hand des nicht in einer Gläubigerstellung befindlichen Staats zu überführen, dem Vorwurf ausgesetzt, daß es sich um eine verkappte Enteignung unter Umgehung der verfassungsrechtlichen Entschädigungsgarantien handele.«

Der Dritte im Bunde der Freunde des Hauses und der konservativste von ihnen war Fritz von Berg. Er war verhältnismäßig oft in Friedrichstein, mit unfehlbarer Sicherheit aber erschien er stets am 12. Juli. Onkel Fritz, 1866 geboren, war Junggeselle. Er hatte Jura studiert, war in die Verwaltung eingetreten, dann Landrat und schließlich Oberpräsident in Ostpreußen geworden. Er hatte also die höchste Spitze der Provinzialverwaltung erklommen.

Er war sehr kurzsichtig, trug eine Brille mit dicken, randlosen Gläsern, hatte eine schöne, tiefe Stimme und sprach seltsam abgehackt. Vor allem bei feierlichen Gelegenheiten kam dieser merkwürdige *son de voix* zur Geltung: Drei oder vier Worte überstürzten sich, dann kam eine Pause und wieder drei oder vier rasch hervorgestoßene Worte und wieder eine Pause. Als Kind fand ich das ungemein eindrucksvoll und hätte gern auch so gesprochen wie er. Wenn er einmal bei der Morgenandacht dabei war, bemühte ich mich immer, neben ihm zu stehen, um dann das Gebet im gleichen Tonfall zu sprechen: Vater unser – Pause – der du bist im Himmel – Pause – ...

Onkel Fritz wurde von allen mit großer Ehrerbietung behandelt. Da mein Vater nicht mehr lebte, wurde er, wenn es Probleme innerhalb der Familie gab, von meiner Mutter gelegentlich zu Rate gezogen. Hatte er seine Meinung kundgetan, wurde diese ungeachtet unserer üblichen Skepsis meist akzeptiert. Er war eben eine moralische Institution.

Als er in unseren Gesichtskreis trat, hatte er sein eigentliches Leben schon hinter sich und lebte zurückgezogen auf seinem Gut Markienen. Vor und während des Ersten Weltkrieges aber hatte Fritz von Berg, der dem Kaiser freundschaftlich verbunden war und zeitweise großen Einfluß auf diesen hatte, eine wichtige Rolle gespielt. Er war auf wohl nie ganz geklärte Weise in die Intrigen der Obersten Heeresleitung – also Hindenburgs und Ludendorffs – involviert gewesen, die 1917 zum Sturz von Reichskanzler Bethmann Hollweg führten. Ein Jahr später wurde er Chef des Zivilkabinetts. Als solcher hatte er viele verschiedene, einflußreiche Funktionen, beispielsweise das Redigieren der Kaiser-Reden, das Führen der Verhandlungen über die Besetzung der Oberpräsidenten-Posten, auch Ordensangelegenheiten; darüber hinaus war er mit der Zeit immer mehr zum Berater des Kaisers geworden, was ihm unvermeidlicherweise den Vorwurf eintrug, diesen falsch beraten zu haben. Andere tadelten, er habe eigenmächtig in die Außenpolitik eingegriffen, wieder andere verübelten ihm sein altmodisches Preußentum und seinen engagierten Protestantismus.

Fritz Berg war überzeugter Monarchist und wurde 1921 nach dem Tode von August Eulenburg zu dessen Nachfolger als Generalbevollmächtigter des preußischen Königshauses sowie zum Minister des Königlichen Hauses (Hausminister) ernannt. Als solchem oblag es ihm, die schwierigen Verhandlungen über die Vermögensauseinandersetzung zwischen dem Preußischen Staat und dem ehemaligen Herrscherhaus zu führen. Etwa zur gleichen Zeit war er von der deutschen Adelsgenossenschaft zu ihrem Vorsitzenden – also zum Adelsmarschall – gewählt worden.

Wir wußten kaum etwas von diesen vielen verschiedenen Rollen. Wir kannten Onkel Fritz nur als einen überaus gütigen Menschen, der stets um die öffentlichen Dinge besorgt war und der nicht nur mit den Großen der Welt Umgang gehabt hatte, sondern sich auch um die Menschen seiner nächsten Umgebung kümmerte.

Ich traf ihn eines Tages in Königsberg in einem Laden, wo er kurzsichtig und ungelenk zwischen Pullovern und Zipfelmützen herumwühlte, um Weihnachtsgeschenke für die Kinder seiner Arbeiter einzukaufen. Mein älterer Bruder, der ihn einmal in Markienen besuchte, war Zeuge einer Szene, die er damals so lebhaft schilderte, daß sie mir noch heute in Erinnerung ist: Der Diener kommt herein und meldet: »Da ist ein Mann, der will Exzellenz sprechen, aber er sagt nicht, wer er ist und was er will.« »Laß ihn reinkommen.« Ein junger Mann erscheint, macht eine höfliche Verbeugung und sagt seinen Namen. Onkel Fritz sieht ihn prüfend an – nach kurzer Pause: »Sind Sie der Sohn?« – »Jawohl, Exzellenz.« Es stellte sich heraus: er war der Sohn eines Rekruten, der in der Kompanie des Leutnants von Berg beim 1. Garderegiment zu Fuß gedient hatte. Das war vierzig Jahre her oder länger.

Meine Mutter war sich ihrer Stellung sehr bewußt, das kam auf zweierlei Weise zum Ausdruck. Ihre Richtschnur war, was »man« tut, und noch wichtiger, was »man« nicht tut. Hierin war sie unbeirrbar und unbeugsam. Die Auskunft, der Einwand, die Feststellung »Das tut man nicht« war ein absolutes Verdikt, damit war jede Argumentation am Ende, danach gab es nichts mehr. Und was man tut oder nicht tut, das waren die Spielregeln der Gesellschaft – präziser gesagt, einer privilegierten Kaste –, die sich in langen Generationen herausgebildet hatten. Denn natürlich verlangten Privilegien auch eine Gegenleistung, ein ganz bestimmtes Verhalten. Wer dem nicht entsprach, wer sich daran nicht hielt, wurde automatisch aus der Gesellschaft ausgestoßen oder »nach Amerika geschickt«, wo er allen Beteiligten aus den Augen war.

Konvention, der Begriff, den eine spätere Generation mit so großer Heftigkeit bekämpft hat – konventionell ist ja zum Inbegriff alles Hohlen, Äußerlichen, Sinnlosen geworden –, war für meine Mutter und ihre Zeit etwas sehr Maßgebliches. Mir schien, daß zwar die Form im Sinn von Stil sehr wichtig ist, nicht aber die Konvention; gegen sie entwickelte sich auch bei mir sehr früh

Widerspruch. Schätzen lernt man sie erst, wenn man gesehen hat, wie haltlos die Menschen ohne Konvention sind.

Im Zentrum jener Spielregeln stand die Ehre als ein aus ritterlichen Zeiten überkommenes Erbstück. Für die Ehre, dem König zu dienen, den Ahnen gerecht zu werden, das Vaterland zu schützen, dafür wurde vieles andere aufgegeben. Die Ehre war gewissermaßen die Komplementärgröße zu den Privilegien. Umsonst gibt es eben nichts, in keinem System.

Die Ehre verlangte absolute Loyalität gegenüber dem König und den bestehenden Wertvorstellungen. Dienst am Herrscher war damit zugleich auch Dienst am eigenen Interesse, denn auf solche Weise wurde für die Kontinuität der bestehenden Herrschaftsstrukturen gesorgt – obgleich die meisten sich über diesen Zusammenhang wahrscheinlich gar nicht im klaren waren. Bei der landangesessenen Aristokratie war es auch die Identität von Eigentum und Herrschaftsverhältnissen, die das Bündnis von Thron und Adel sicherte, das noch verstärkt wurde durch die Rolle, die der Adel in der Verwaltung spielte, vom Minister bis hinunter zum Landrat.

Die Spielregeln waren – auch dies ist wichtig – ein Schutzschild gegen allerlei Anfechtungen, sozusagen ein Sicherheitsgeländer, an dem man sich entlanghangeln konnte.

Was gegen die Ehre war, konnte nicht stattfinden, beispielsweise waren Ehescheidungen für Offiziere und hohe Beamte absolut indiskutabel und zogen den Verlust der Stellung nach sich. Schulden machen war fast ebenso schlimm; ein Leutnant, der mit Spielschulden zusammenbrach, meinte, sich erschießen zu müssen. Oft tat er dies auch. Daß schon Schiller in »Kabale und Liebe« und Goethe in »Werthers Leiden« diese Art Wertordnung in Zweifel gezogen hatten, änderte nichts an deren Realität. Denn auch in ihrem Endstadium war diese Ordnung noch immer eine in sich ruhende, nach außen wasserdicht abgeschlossene Welt, die sich der Gültigkeit ihrer Maßstäbe sicher wähnte. Was die Dichter dichteten, das war eben Literatur und hatte mit der Wirklichkeit nichts zu tun.

Die landangesessene Aristokratie erhob ja im allgemeinen auch keinerlei Anspruch, zu der Welt der Dichter oder Intellektuellen zu gehören. Im Gegenteil, sie machte durchaus deutlich, daß dies nicht ihre Sache sei – teils aus Hochmut, teils aus dem Wunsch heraus, nicht bei falschen Prätentionen ertappt zu werden. Einer aus diesem Kreise hatte eines Tages einen Artikel geschrieben – allein dies schon ein leicht anrüchiges Unterfangen –, dann aber hatte er diesem auch noch den Titel gegeben *Ex oriente lux*. Seitdem hieß er nur »der Orientlux«.

Vielleicht kann man sagen, daß damals die Ehre etwa die Rolle spielte, die heute das Geld einnimmt. Sie war der Güter höchstes, und weil das Geld nicht so wichtig erschien wie heute, gab es auch die jetzt allenthalben üblichen Korruptionsaffären nicht.

Natürlich gab es, ungeachtet des »Geländers«, auch damals Affären. Aber sie hatten eher mit geheimen Liebschaften und mit Ehebruch zu tun als mit Geld. In solchen Fällen war das wichtigste, dafür zu sorgen, daß die Verfehlung nicht außerhalb der eigenen Schicht bekannt wurde. Ich erinnere mich der gelegentlichen Warnung: »*Pas devant les domestiques* – nicht vor den Dienstboten«, wenn bei Tisch irgendeine Klatscherei zur Sprache kam.

Ich sagte, meine Mutter war sich ihrer Stellung auf zweierlei Weise bewußt. Das zweite war das Gefühl, für alles verantwortlich zu sein, was sich im eigenen Herrschaftsbereich ereignete. Wurde jemand im Dorf krank, mußte für Pflege gesorgt werden. War es etwas Unkompliziertes, ging meine Mutter selber hin, um zu verbinden oder Medizin zu bringen; wenn es sich um einen schwierigen Fall handelte, wurde die Krankenschwester geholt. Manchmal mußten auch die großen Schwestern bei einem der Alten im Dorf nachts Wache halten.

Während des Krieges hatte meine Mutter im Gemeindehaus ein Blindenheim eingerichtet, in dem etwa zwölf Blinde betreut wurden, und zwar ausschließlich von meinen beiden großen Schwestern, die damals siebzehn und achtzehn Jahre alt waren. Zur Hilfe hatten sie nur ein Mädchen zum Saubermachen.

Eines Sonntags wurde ich ins Dorf geschickt, um dem alten Altrock, der für die Schweine verantwortlich war und der krank zu Bett lag, Kuchen zu bringen. Ich war vielleicht zehn oder elf Jahre alt. Mit meinem Teller stand ich also vor seiner Tür und klopfte - keine Antwort. Schließlich betrat ich das Zimmer, und noch heute sehe ich das Bild deutlich vor mir, das ein tiefer Schreck unauslöschlich in mein Gedächtnis eingegraben hat: Da lag der Alte in seinem Bett unter einem hoch aufgetürmten Federbett, mit weit offenem Mund, das Gesicht wächsern gelb wie altes Pergament. Ein paar Fliegen summten um seinen Kopf. Instinktiv wußte ich: Altrock ist tot. Ich stellte rasch den Teller auf den Tisch und rannte, so schnell ich konnte, nach Haus. Die nächsten Nächte konnte ich nicht schlafen, immer meinte ich, Altrocks Geist an meinem Bett zu sehen.

Meine Mutter war, wie gesagt, noch sehr der Konvention verhaftet, und vieles von dem, was sie sagte, empfand ich schon in jungen Jahren als Klischee. Eines Tages erklärte sie im Hinblick auf eine sehr gescheite Frau, die sich des längeren über Oswald Spenglers »Untergang des Abendlandes« ausgelassen hatte, ganz apodiktisch: »Frauen sind gar nicht imstande, Spengler zu verstehen.« Mich ärgerte das sehr, und ich beschloß, sobald ich groß sein würde, Spengler zu lesen – daß ich ihn verstehen könnte, schien mir unzweifelhaft, denn warum sollten Frauen beschränkter sein als Männer. Allerdings hatte ich ein paarmal erlebt, daß weibliche Besucher nicht in der Lage waren, sich einen Zug im Kursbuch selber herauszusuchen, was ich recht beschämend fand.

Das Verhaftetsein im Konventionellen wurde bei meiner Mutter in gewisser Weise durch ihre tiefe Frömmigkeit kompensiert. Sie akzeptierte jede Schicksalswende, auch wenn diese eine höchst unkonventionelle Situation herbeiführte. Eine Schwester von mir, die ein paar Jahre älter war als ich, wurde als geistig gestörtes Kind geboren – mongoloid nannte man diesen Typ der unheilbaren Geisteskrankheit. Bis etwa zu meinem elften Lebensjahr lebten wir in der gleichen Kinderstube zusammen.

In einer Zeit, die weniger über Gott und mehr über Sigmund Freud nachdenkt, würde man diese Regelung sicher nicht verantworten wollen. Für mich war sie durch Gewohnheit zur Selbstverständlichkeit geworden und hatte auch mich gelehrt, Schicksalsschläge ohne Auflehnung zu akzeptieren.

Als diese Schwester erwachsen war, wurde sie nach Bethel geschickt. Dort blieb sie, bis wir erfuhren, daß die Nazis die Geisteskranken in einem Verfahren, das sie Euthanasie nannten, umbringen ließen. Mein ältester Bruder reiste sofort nach Bethel, und es gelang ihm, sie in letzter Stunde herauszubekommen und nach Hause zu bringen. Als es in Bethel wieder sicher war, brachte ich sie dorthin zurück; einige Jahre nach Kriegsende ist sie in Bethel gestorben.

Ich erinnere mich, wie sich am Vorabend des Zweiten Weltkrieges mein Vetter Gerti Kanitz über die Frömmigkeit meiner Mutter lustig machte. Er war ein begabter Mensch, intelligent, sehr musikalisch, aber eher zynisch; in der Republik von Weimar war er eine Zeitlang Reichsernährungsminister gewesen. Wir hatten an jenem Tag über alles, was uns nun bevorstand, gesprochen. Als er am Schluß mit spöttischer Miene sagte: »Deine Mutter hat ja ein sehr probates Gegenmittel, sie wird jetzt jeden Abend Andacht abhalten«, fragte ich ärgerlich: »Weißt Du etwas Besseres?« Heute, da ich dies schreibe, muß ich an die Geschichte vom Erdbeben denken: Ein gewaltiges Erdbeben hatte ein Dorf in Trümmer gelegt, die Überlebenden standen verzweifelt herum. Da kam ein Mann mit einem Bauchladen und rief seine Ware aus: »Pillen gegen Erdbeben, Pillen gegen Erdbeben ...« – »Was soll der Quatsch«, schrien die erbosten Umstehenden. »Wißt ihr eine Alternative?« fragte der Mann, »dann sagt sie mir ...«

In meiner Kinderzeit, deren Beginn sich ja während des Ersten Weltkriegs abspielte, kamen nicht viele Gäste nach Friedrichstein, und nachdem mein Vater 1920 gestorben war, blieben die offiziellen Besucher, von denen Otto Hentig berichtet hatte, ohnehin aus. Aber einige sehr liebe Verwandte kamen häufig – an erster Stelle Tante Sissi Keyserlingk, die engste Freundin meiner Mutter. Sie war eine romantische, wunderbar warme Person, voller Phantasie, sehr musikalisch; sie hat das große epische Werk des englischen Dichters Robert Browning übersetzt und schrieb auch selbst Gedichte.

Anfang der zwanziger Jahre kamen die ersten, noch sehr unvollkommenen, privaten Rundfunkgeräte auf; ich erinnere mich, daß meine älteste Schwester zwanzig Kilometer über Land ritt, um einen dieser wundersamen Apparate in Augenschein zu nehmen. Auch Keyserlingks in Neustadt hatten sich einen solchen Kasten zugelegt. Als ich damals zum ersten Mal nach Neustadt mitgenommen wurde, saß Tante Sissi mit beseligtem Ausdruck vor ihrem Empfänger und flüsterte: »Eine göttliche Musik – Wagner.« Sie bedeutete mir, mich still hinzusetzen, damit ich der Freude teilhaftig werde, aber mit weit weniger

Phantasie ausgestattet als sie, vernahm ich nur klägliche Töne, überlagert von gewaltigem Geprassel – als ob heftiger Regen auf ein Blechdach niederginge.

Bei diesem Besuch begleitete ich den sehr viel älteren Sohn des Hauses auf der Pirsch. Er schoß einen Auerhahn, was am Abend sehr gefeiert wurde – es schien ein seltenes Ereignis zu sein. Ich war geschmeichelt und kam mir sehr wichtig vor, weil er aller Welt verkündete, ich sei es, die ihm Waidmannsheil gebracht habe. Offenbar wollte Tante Sissi diesen Ruhm nicht verblassen lassen, denn einige Zeit danach bekam ich einen Brief von ihr, dem sie zur Erinnerung an das Ereignis ein kleines Plastik-Lesezeichen beigelegt hatte. Es war vom vielen Gebrauch ein wenig verbogen und mit Tinte bekleckert, und seinen Kopf zierte nicht etwa ein Auerhahn, sondern ein bunter Papagei: »Wir wollen das Tierchen als Auerhahn ansprechen«, erklärte sie lapidar.

Ihr Mann, Onkel Heinrich, war für mich ein Objekt ständigen Staunens. Erstens trug er auch im Zimmer stets dieselbe Mütze, die er draußen aufhatte, und noch verwunderlicher: er hatte eine Kanüle, wie ich sie bis dahin nur bei den Preyler Rennpferden gesehen hatte. Das heißt, im Hals, da wo sonst der Kragenknopf sitzt, steckte eine silberne Röhre, durch die er zusätzlich Luft bekam und die ich, wenn er sprach, fasziniert be-

obachtete, gespannt darauf wartend, daß irgendwann einmal seine Worte nicht aus dem Mund,
sondern aus der Kanüle kommen würden; aber es
kamen nur pfeifende Laute und gelegentlich ein
wenig Spucke.

Damals wurde viel von einem Mann namens
Coué geredet. Coué war ein französischer Apo-
theker, der Autosuggestion zur Heilung von
Krankheiten propagierte. Man müsse nur irgendeine Behauptung mit großer Überzeugung immer
von neuem wiederholen, dann – so die Zusiche-
rung – werde aus dem Wunsch Wirklichkeit.
Tante Sissi schrieb uns, es gehe Onkel Heinrich
nicht gut und sie säße oft an seinem Bett und sage
in einem fort: »Es geht Heinrich schon viel
besser... Es geht Heinrich schon viel besser...«
Der Brief endete mit der Mitteilung: »Aber stellt
Euch vor, Heinrich hat es nichts genutzt. Statt dessen geht es mir täglich besser.«

Ein Gast, der selten kam, den ich aber sehr
liebte, war Onkel Siegfried Eulenburg. Auch als
Kind spürte man, daß dies jemand Ungewöhnliches war. Mich hatte er aus irgendwelchen Gründen in sein Herz geschlossen. Immer begrüßte er
mich, indem er mir beide Hände entgegen-
streckte – eine Geste, die ich nie erlebt oder bei
anderen gesehen hatte und deren Herzlichkeit
mich ganz und gar in Bann schlug. Onkel Siegfried
war der letzte Kommandeur des 1. Garderegi-

ments zu Fuß gewesen – der Stolz aller Preußen seit Friedrich Wilhelm I. Es war übrigens das Traditionsregiment für das spätere IR 9, das Regiment, das die meisten Offiziere im Widerstand gegen Hitler verloren hat. Siegfried Eulenburg wurde im Ersten Weltkrieg mit dem *Pour le mérite* mit Eichenlaub ausgezeichnet – eine damals ganz seltene Auszeichnung.

Ein Freund von uns, Kurt Plettenberg, der im Ersten Weltkrieg zu Onkel Siegfrieds Regiment gehört hatte, erzählte eine Begebenheit, die mich sehr beeindruckte. Die beiden saßen irgendwo in Rußland in einem Bauernhaus und spielten Schach, weil es ein ruhiger Abend war, ohne feindliches Feuer; plötzlich stand Eulenburg auf, das Schachbrett mit den Figuren vorsichtig balancierend, und sagte zu dem verblüfften Plettenberg: »Komm, gehen wir lieber auf die andere Seite des Hauses.« Eine halbe Stunde später schlug eine Granate ein und brachte den Teil des Hauses zum Einsturz, in dem sie zuvor gesessen hatten.

Als im Januar 1945 die Russen kamen und wir uns alle auf die Flucht begaben, bestieg Onkel Siegfried seinen »Landauer«, setzte einen jungen Burschen neben sich auf den Bock und seine Frau – eine gestrenge Schweizerin – in den Fond des Wagens, dann kutschierte er gen Westen. Er fuhr annähernd zweitausend Kilometer bis zum

Bodensee, wo die Eltern seiner Schwiegertochter, der Staatssekretär Ernst von Weizsäcker und dessen Frau, ein Haus hatten.

Als seine Frau starb und er sehr sorgfältig den Grabstein ausgesucht hatte, ließ er neben dem ihren auch gleich seinen eigenen Namen mitsamt dem Geburtsdatum einmeißeln, so daß später nur

Siegfried Graf zu Eulenburg-Wicken, letzter Kommandeur des Ersten Garde-Regiments zu Fuß.

noch Tag und Jahr seines Todes hinzugefügt werden mußten. Er wollte nicht, daß anderen Leuten später mehr Kosten entstünden, als unbedingt nötig. Sein Geburtsdatum: 10.10.1870 – er war also fünfundsiebzig als er die Heimat verlassen mußte.

Ein anderer Onkel, der in ganz Ostpreußen als Unikum bekannt war, ist in meiner Kinderzeit nur einmal nach Friedrichstein gekommen, Onkel Carol Lehndorff. An jenem Tag kam er aus Königsberg mit einem Taxi, und mit diesem fuhr er auch weiter zu seinem hundertfünfzig Kilometer entfernten Besitz Steinort. Allein dies war eine Sensation: Ein Taxi benutzte man in der Stadt, aber man fuhr mit ihm doch nicht über Land; daß das überhaupt ging, war höchst verwunderlich.

Eines Tages hatte Onkel Carol, der immer ausgefallene Ideen hatte, uns Kinder – also alle Lehndorffs und mich – eingeladen. Bedingung: ohne Erwachsene. Steinort war ein herrlicher, großer Besitz am Rande des Mauersees, der seit vierhundert Jahren in der Familie war. Das alte, nicht sonderlich schöne Haus war leicht verwahrlost, weil seit einem halben Jahrhundert keine Hausfrau mehr dort gewaltet hatte, und unter dem skurrilen Junggesellen Carol Lehndorff war es auch nicht gerade wohnlicher geworden. In meinem Zimmer, das offenbar unter permanenter Nässe litt, hatte man kurzerhand die abgefaulten

Füße des Holzbettes durch zwei übereinandergelegte Ziegelsteine ersetzt; die Vorhänge waren von Motten zerfressen und alle Möbel von äußerster Gebrechlichkeit. Als jemand ein Fenster öffnete, um uns etwas zuzurufen, fiel das Fenster samt dem Rahmen auf den Vorplatz.

Onkel Carol, den eine Bande so junger Kinder – wir waren alle zwischen dreizehn und sechzehn – königlich amüsierte, erklärte, wir könnten tun und lassen, was wir wollten, wir sollten nur pünktlich zum Abendessen zurück sein. Offenbar hatte er sich eine Überraschung für uns ausgedacht. Abends veranstaltete er dann auch wirklich etwas Ungewöhnliches: Ein Wettessen mit Möweneiern – für den Sieger war ein Preis ausgesetzt. Ich weiß nicht mehr, wer ihn gewann, aber jedenfalls verspeisten wir Dutzende dieser grünmarmorierten Eier, und als wir gar nicht mehr konnten, gab es obendrauf noch Schokoladencreme.

Der Erfolg war überwältigend. Mir war am nächsten Morgen hundeelend zumute, mit Mühe raffte ich mich auf und fand die meisten der anderen bleich und stumm in ihren Betten liegend – beim jüngsten stand neben dem Kopfende des Bettes ein großer, weißer Emailleeimer.

Nicht nur bei unserem Besuch war der Eßtisch in voller Länge besetzt. Im Sommer hielt sich stets eine Vielzahl von Besuchern in Steinort auf, denn Onkel Carol pflegte auf seinen Reisen alle Leute, die ihm gefielen, einzuladen. Die kamen dann irgendwann einmal samt Kindern angereist und blieben zuweilen wochenlang. Onkel Carol hatte meist keine Ahnung mehr, wer sie waren. Wenn es ihm zu bunt wurde, zog er sich einfach zurück. Die Jungen durften Onkel Carol gelegentlich besuchen, wenn er sich in seine zwei kleinen, meist verdunkelten Zimmer zurückgezogen hatte. Hans Lehndorff hat diese Besuche beschrieben: »Meistens lag er im Bett, einen Kneifer auf der Nase, las irgend etwas oder betrachtete Münzen und Münzkataloge. Die Schränke, zwischen denen man sich hindurchschlängeln mußte, um an sein Bett zu gelangen, enthielten mit etwa 280.000 Stück die wohl größte preußische Münzsammlung der Zeit. Er hatte sie im Laufe seines Lebens zusammengebracht und dabei großes Fachwissen erworben. Ständig korrespondierte er mit Numismatikern und hatte fast immer einen von ihnen, oder mehrere, über Wochen und Monate bei sich zu Gast.«

Carol Lehndorff hatte eine ziemlich wilde Jugend hinter sich gebracht: viel Geld ausgegeben, große Schulden gemacht, die Welt kreuz und quer bereist und die Verwandtschaft durch abenteuerliche Unternehmungen aufgeschreckt. Jetzt war er alt. Aber es gab immer neue Geschichten, die sich rasch verbreiteten und die allgemein kolportiert wurden. Als im Herbst 1933 das Erntefest gefeiert wurde und die Leute zum Schloß kamen, um die Erntekrone zu überbringen, stand er auf dem Balkon und hielt eine kleine Ansprache. Er wollte sie der neuen Zeit entsprechend beenden, setzte an ... pausierte einen Moment, blickte ratlos um sich: »Donnerwetter, wie heißt der Kerl doch gleich?« und schließlich: »Na, denn Waidmannsheil!«

Die beste Geschichte von ihm erzählt mein Vetter Hans Lehndorff in seinem Buch »Menschen, Pferde, weites Land«. Für seinen Militärdienst war Carol in eine kleine pommersche Garnison verbannt worden, wo es angeblich einen besonders strengen Kommandeur gab; der, so hoffte die Mutter, würde den unberechenbaren und verschwenderischen Sohn zur Raison bringen.

Carol pflegte jeden freien Sonntag nach Berlin zu den Rennen in Karlshorst zu fahren, wo er seine Freunde traf und gelegentlich auch selbst in den Sattel stieg. Auch der Kommandeur fuhr gern am Sonntag zum Rennen nach Karlshorst. Er brach stets nach dem Hauptrennen auf, um den letzten Zug nicht zu versäumen, und es verwunderte ihn sehr, daß Carol stets seelenruhig auf dem Rennplatz blieb und dennoch am nächsten Morgen pünktlich um 6 Uhr zur Stelle war. Des Rätsels Lösung: Carol benutzte einen Güterzug, der nachts in die gewünschte Richtung fuhr. Dieser aber nahm nur Leute mit, die Vieh beförderten. Darum ließ er sich jedesmal durch seinen Burschen ein Schaf besorgen und reiste dann als dessen Begleiter.

Als der Kommandeur, der sich über die merkwürdige Ansammlung von Schafen im Pferdestall wunderte, den kausalen Zusammenhang seiner beiden Verwunderungen ergründet hatte, beschloß er, den Frühdienst vorzuverlegen. Der Güterzug traf immer um 5.30 Uhr ein, der Dienst begann um 6 Uhr; also setzte er von nun an den Dienst auf 5.30 Uhr an.

Aber, oh Wunder, in Karlshorst spielte sich die übliche Szene ab: Der Kommandeur brach auf, der Leutnant blieb sitzen und machte keinerlei Anstalten, den Rennplatz zu verlassen. Aus irgendeinem Grunde wurde der Kommandeur auf dem Weg zum Bahnhof aufgehalten, so daß er den letzten Zug verpaßte. Ratlos wandte er sich an den Bahnhofsvorsteher: »Sie haben Pech«, sagte der, »normalerweise fährt immer ein Leutnant mit einem Schaf in dem Güterzug mit, da hätten Sie sich natürlich anschließen können, aber der kommt erst um 5.30 Uhr in Ihrem Standort an.« Nach einigem Nachdenken fiel dem Bahnhofsvorsteher die Lösung ein: »Der Leutnant fährt heute mit einem Extrazug gegen Mitternacht, und wenn Sie ihn bitten, nimmt er Sie sicher gern mit.«

Wir Kinder – jedenfalls wir drei jüngsten – sahen unsere Eltern selten; sie lebten unten, wir wohnten oben mit der Kinderfrau, aßen für uns, spielten für uns. Abends kam meine Mutter zum Beten herauf, und wenn Gäste da waren, mußten wir zum Gute-Nacht-Sagen herunterkommen. Wenn ich darüber nachdenke, muß ich sagen, daß ich weder von den Eltern noch von den häufig wechselnden Erzieherinnen Wesentliches gelernt habe, sondern eigentlich nur durch die Atmosphäre des Hauses und auch von den Leuten, zwischen denen sich unser Leben abspielte; denn natürlich entwichen wir unseren Aufsehern, sobald sich das irgend machen ließ, und liefen in die Tischlerei, den Pferdestall oder die Gärtnerei, wo es viel interessanter war als im Schloß. Die Gärtnerei war besonders verlockend zur Zeit der reifenden Weintrauben; das Treibhaus war zwar stets verschlossen, aber wir waren geübt im Einbrechen. Ich habe noch heute eine Narbe am Bein, die daher rührt, daß die Großen mich zwangen, durch eine schmale Luke zu kriechen, die sie eingeschlagen, aber nicht ordentlich von Glasscherben gesäubert hatten.

Verantwortung zu tragen, das wurde uns nicht gepredigt, das ergab sich einfach in der Gemein-

schaft. Unsere Spielgefährten waren die Dorfkinder, und es war klar, daß wir es waren, die für
zerbrochene Fensterscheiben oder abhanden
gekommenes Werkzeug die Schelte bekamen –
dafür sorgten schon die Handwerker, die keineswegs glimpflich mit uns umgingen. Petzen, sich
drücken und einwenden, das waren nicht wir, das
war der und der, das wäre ganz gegen unsere an
Karl May geschulten Begriffe von Edelmut und
Fairneß gewesen. Wir waren es, und damit basta.
Und da einer von uns ja auch meist der Anführer
aller Unternehmungen war, verstand sich das
von selbst.

*Im Ersten Weltkrieg spielten die großen Geschwister mit den
Dorfkindern Krieg – mein jüngster Bruder bildet den Abschluß
dieses Aufgebots.*

Zum Ehrenkodex gehörte auch, sich Schmerzen nicht anmerken zu lassen. Wer gejammert hätte, wenn er sich beim Klettern oder beim Hüttenbau oder bei Wettkämpfen verletzt hatte, wäre der Verachtung aller anderen anheimgefallen. Ich erinnere mich an eine Szene, wo die vier Großen sich Weidenruten um die nackten Beine schlugen, weil sie sehen wollten, wer zuerst schreit. Mangels Ergebnis wurde das Unternehmen nach einiger Zeit abgebrochen. Wenn doch keiner weich wurde, machte es keinen Spaß.

Die meisten Unglücksfälle ereigneten sich beim Reiten. Jeder hatte im Laufe der Jahre

Oberkutscher Grenda mit den vier Großen.

irgendein gebrochenes Glied aufzuweisen – einmal lagen gleich zwei der Großen zur selben Zeit im Krankenhaus in Königsberg: meine Schwester Yvonne hatte einen Wirbel gebrochen, mein Bruder Dieter den Oberschenkel.

Eines Tages war ich mit meinem ältesten Bruder unterwegs, wir hatten beide junge, etwas unberechenbare Pferde. An einem Graben machte meine Stute einen so gewaltigen Satz, daß ich über ihren Kopf hinwegschoß. Ich lag am Boden, hatte aber den Zügel in der Hand behalten, glücklicherweise, denn es war sehr weit bis nach Haus. Mein Arm schmerzte sehr. »Macht nichts«, meinte mein Bruder, »steig nur wieder auf, sonst kommen wir zu spät«; gebrochen könne der Arm nicht sein, meinte er, sonst würde ich viel größere Schmerzen haben. Ich zog mich also am Sattelknauf hoch, verspürte einen gewaltigen Schmerz und hörte einen leisen Knacks. Da aber die brüderliche Diagnose allen einleuchtete, wurde nichts weiter unternommen, nur die Gemeindeschwester bestellt, um den Arm zu massieren. Am nächsten Tag waren die Schmerzen so unerträglich, daß ich zum Röntgen nach Königsberg geschickt wurde; und siehe da, der Arm war gebrochen, und zwar waren beide Knochen durch, der dicke und der dünne. Letzterer wohl beim Wiederaufsteigen, wie der Doktor meinte, dem ich den Vorgang beschrieb.

Zu Hause herrschte im allgemeinen ein sehr strenges Regiment. Vieles – mehr als man erwarten sollte – war verboten. Und insofern hatten wir eine vergnügliche Jugend, denn das gab die Berechtigung, uns auf die Weise zu widersetzen, die allein uns zu Gebote stand, nämlich: die Weisungen zu mißachten. Nichts macht ja mehr Vergnügen, als Verbote zu übertreten.

Wenn den Großen gelegentlich aus irgendwelchen Gründen eine Strafe verordnet wurde, durften sie ein paar Tage nicht reiten. Also beschlossen sie, nicht am Tag zu reiten, sondern »vor Tau und Tag«. Mit dem Nachtwächter wurde ein Komplott geschmiedet: Er mußte um vier Uhr morgens an einem langen Bindfaden ziehen, dessen eines Ende aus dem Fenster hing, während das andere am Kopfkissen des zu Weckenden befestigt war. Um vier Uhr fuhr der Schläfer erschrocken hoch, weckte die anderen, und dann sattelten sie die Pferde. Um sechs lagen alle wieder in ihren Betten und wurden vorschriftsmäßig um sieben Uhr geweckt.

Verboten war auch, daß wir Kleinen allein, ohne Erwachsene, mit Gewehren bewaffnet loszogen. Mit einem Luftgewehr auf Spatzen zu schießen, das war zulässig, aber auf keinen Fall durften wir uns mit einer Büchse oder Schrotflinte bewaffnen. Eines Tages war ich in Waldburg bei den Dohnas. Es war März und noch sehr kalt.

Wir hatten festgestellt, daß erstens die Wildgänse zogen, was uns elektrisierte, denn das war die aufregendste Jagd von allen, und daß zweitens sämtliche Erwachsenen weggefahren waren.

So stürzten wir uns auf den großen Gewehrschrank und rüsteten uns mit Flinten und Patronen aus: Schrot Nr. Null – das ist das gröbste Schrot, das es gibt. Man könnte damit ohne weiteres einen Bock oder auch einen Keiler erlegen; Schrot Nr. Sieben zum Beispiel, wie man es auf der Hühnerjagd verwendet, wäre an dem fettigen Federpanzer der Wildgänse einfach abgeprallt.

Die Dohna- und Lehndorff-Jungen – wir waren alle vierzehn- und fünfzehnjährig – hatten sich die besten Gewehre herausgesucht, für mich blieb nur eine alte Hahnflinte von einer Art, wie ich sie noch nie gehandhabt hatte. Schließlich zogen wir los und verteilten uns auf die überschwemmten Wiesen, in der Hoffnung, daß die Gänse zur Nacht dort einfallen würden. Mit mir war der jüngste der Dohna-Vettern, der unbewaffnete, zwölfjährige Konstantin. Wir standen bis zur halben Wade im eisigen Wasser und lauschten vergeblich – nichts rührte sich. Allmählich wurde es immer dunkler, und wir beschlossen, nach Haus zurückzukehren.

Auf dem Heimweg kamen wir an einen sehr breiten Graben, über den provisorisch zwei Stangen – nicht Bretter – gelegt waren; gerade wollten wir auf die andere Seite balancieren, als ich herannahende Gänse hörte. Mit klammen Fingern spannte ich die Hähne der Flinte, suchte den dunklen Himmel ab, konnte sie aber nicht erspähen. Wir blieben noch eine Weile stehen, dann mußte Konstantin als erster über den Graben, um die Flinte in Empfang zu nehmen, damit sie nicht womöglich mit mir ins Wasser fiele. Ich reichte sie ihm herüber, mit dem Kolben ihm zugewandt, den Lauf auf mich gerichtet.

Kaum hatte er sie berührt, gab es einen gewaltigen Knall, ich sah noch einen Feuerstoß, dann fiel ich hintenüber. Ich hatte vergessen, die Hähne zu entspannen, und er war an den Abzug gekommen. Der herbeigeeilte Förster sagte ganz benommen: »Jetzt hast du sie totgeschossen.« Weiß Gott, dachte ich, jetzt bin ich tot – kein Wunder: mit Nr. Null konnte es ja auch gar nicht anders sein. Aber die Ladung war auf Millimeterbreite an mir vorbeigegangen, meine Jacke war nur auf der rechten Seite leicht versengt. Ziemlich beklommen trotteten wir beide heim.

Die großen Geschwister sah ich nicht viel häufiger als die Eltern. Sie waren meist mit anderen Dingen beschäftigt. Wenn sie meiner ansichtig wurden, nutzten sie mich für Botengänge aus, was ich aber nicht ungern hatte, weil es mir eine gewisse Wichtigkeit verlieh. Ich glaube, daß ich durch sie und die ungerechtfertigte Strenge, die sie mir angedeihen ließen, einiges gelernt habe.

Bei all ihrer zur Schau getragenen Härte waren sie immer dann voller Rücksicht, wenn mir oder jemand anderem etwas zugestoßen war. Sie hatten viel Phantasie, waren einfallsreich und witzig – unanständige, geschweige denn obszöne Witze habe ich von ihnen nie gehört.

Und was mir erst viel später auffiel, sie sprachen nie, wie so viele andere Leute, über sich selbst. Im Gegenteil, es wurde auf äußerste Diskretion Wert gelegt, wenn es um einen selbst, und auf Verschwiegenheit, wenn es um den anderen ging.

Wenn ich an zu Hause denke, steht im Vordergrund der Eindruck einer gewachsenen Gemeinschaft, wobei wir Kinder zweifellos eine gewisse Rolle spielten, denn wir waren so etwas wie ein Kugelgelenk zwischen oben und unten. Als ich eingesegnet wurde, was in der Vorstellung der meisten Leute gleichzusetzen ist mit »ins Leben treten«, sagte Kutscher Grenda zu meiner Mutter: »Na, Exzellenz, nun haben wir sie alle durch, und ich denke, wir können ganz zufrieden sein.«

Über Grenda und einige der anderen herausragenden Persönlichkeiten unserer näheren Umgebung, die großen erzieherischen Einfluß auf mich hatten, muß ich hier etwas eingehender berichten. Grenda wurde von den Stalljungen und auch von uns Kindern »der Ober« genannt. Er war aber auch ohne jede Frage eine Autorität – zumindest regierte er auf eine höchst autoritäre Weise, an deren Berechtigung ihm wohl nie ein Zweifel kam. Wahrscheinlich war er als junger Soldat Feldwebel in seiner Einheit gewesen, jedenfalls glaubte er an das Militär als die einzig bewährte Erziehungsanstalt. »Der muß jetzt erst mal zum Kommiß, damit die'n Menschen aus ihm machen«, pflegte er über seine Stalljungen zu sagen. Und dafür leistete er dann die in seinen Augen notwendige Vorarbeit.

Mit uns sprang er nicht viel anders um. Wenn es ihm aus irgendeinem Grunde nicht paßte oder er auch nur seine Macht zeigen wollte, erklärte er: »Heute wird nicht geritten – ihr habt gestern wieder so gejagt, daß der Rappe ganz schwitzig war, der hustet jetzt.« – »Aber der Fuchs ...«, wandte man ein. »Der Fuchs geht ganz klamm, der darf heute auch nicht raus.« Glücklicherweise hatte aber auch »der Ober« eine Schwäche: er rauchte gern gute Zigarren. Wenn wir ganz sicher sein wollten, auf keine Einwände zu stoßen, klauten wir zu Haus Zigarren und brachten sie ihm – das hatte stets einen entwaffnenden Effekt.

Und auf noch etwas anderes war Verlaß: Grenda war immer auf unserer Seite. Wenn der Hauslehrer oder eine Erzieherin uns suchte, weil wir längst hätten Schularbeiten machen müssen, und Grenda sie kommen sah, schloß er uns schnell in der Sattelkammer ein und schwor Stein und Bein, bei ihm sei niemand gewesen.

Die Sattelkammer war übrigens ein Schmuckstück. Es duftete nach frisch gewienertem Leder, und die Schnallen glitzerten wie auf Hochglanz poliertes Silber. Am Sonntag war der ganze Stall – der Kutschstall, die Arbeitspferde standen auf dem Hof – eine einzige Augenweide. Es gab zwei Boxen für Ponies, zwei für Stuten mit Fohlen und acht Stände, in denen die Fahr- und Reitpferde nebeneinander aufgereiht standen. Am Sonntag wurde jeder dieser Stände mit weißen gekreuzten Riemen quasi verschlossen; davor lag eine geflochtene Strohmatte, die von einer roten Schnur durchzogen war.

Unsere große Passion war es, Pferde zu putzen. Das wollte gelernt sein: Mit ausgestrecktem Arm, in großer ausholender Geste, wurde die Kardätsche geschwungen und dann mit dem gleichen Schwung die Bürste am Striegel abgestrichen. Schwierig war es freilich, an der Stelle, wo sonntags die Strohmatten lagen, zwölf etwa zwanzig Zentimeter lange Striche von dem Staub, den man zusammengebürstet hatte, anzulegen – das aber verlangte »der Ober«, wenn wir ernst genommen werden wollten.

Auf solche Weise habe ich vieles gelernt. Beim Chauffeur Vergaser auseinandernehmen, in der Tischlerei hobeln und fugen; wahrscheinlich steckte dahinter der Ehrgeiz, zu beweisen, daß man als Schloßbewohner genauso tauglich war wie die anderen auch.

Im Osten konnte übrigens jedermann sich mit jedem Handwerk zurechtfinden; ein bißchen mauern, tischlern, klempnern konnte jeder auf dem Lande. Ein bei uns besonders beliebter Handwerker war der Tischler, Meister Klein. Bei ihm lernten die Brüder sachgemäß mit Holz umzugehen, am Schluß konnten sie sogar Fenster anfertigen. Die Bohrmaschine durfte ich nicht anfassen, ich war zu klein; aber einfache Bretter hobeln, das konnte ich auch. Als Meister Klein alt war und nicht mehr mit schwerem Holz hantieren konnte, wurde ihm eine besondere Pflicht anvertraut: Er mußte jeden Morgen die Standuhren in den verschiedenen Zimmern im Schloß aufziehen.

In einem so großen Haus gab es alle möglichen Verrichtungen, mit denen einer, der sich verdient gemacht und außerdem das Vertrauen der Umwelt erworben hatte, betraut wurde. So war es Webers Aufgabe, in einem großen Korb, den er sich auf den Rücken hängte, Holz für die Öfen im Haus zu verteilen. Es gab, als ich Kind war, noch keine Zentralheizung, sondern nur in jedem Zimmer Öfen und Kamine. Unvergeßlich das erste Geräusch, das man am Morgen beim Wachwerden wahrnahm: Webers schwere Schritte auf der Treppe.

Seine Frau betreute das an einem Teich gelegene Waschhaus, in dem alle vierzehn Tage mehrere Kubikmeter Wäsche gewaschen und dann in einem riesigen Trockenschuppen zum Trocknen aufgehängt wurden. Zur Bewältigung dieser Arbeit wurden jedesmal sechs bis acht Frauen aus dem Dorf geholt, die unter großem Geschnatter in gewaltigen Bottichen die Laken und Handtücher wuschen. Der nächste Arbeitsgang wurde dann im Schloß vorgenommen; dort stand in der Plättstube ein riesiger Apparat, in dem, von Feldsteinen beschwert und durch ein großes Schwungrad bewegt, das ich gelegentlich drehen durfte, Rollen hin und her über Laken strichen und sie glätteten. Auch plätten lernte ich unter der Ägide der Mädchen, deren Gesänge bei dieser Gelegen-

Anläßlich des Besuchs der Kaiserin sind alle Diener, Kutscher und Hausmädchen angetreten. Im Vordergrund die vier großen Geschwister, im Hintergrund in der Mitte mit Spitzbart der von uns sehr geliebte Meister Klein.

heit durch das Souterrain des Hauses tönten und mich immer wieder anlockten. Besonders die sentimentalen Lieder wie »Am Holderstrauch« hatten es mir angetan.

Auch die Mädchen waren meist auf unserer Seite. Wenn die Strafe »ohne Abendbrot ins Bett« verhängt wurde, fand man gewöhnlich am Nachttisch einen Teller mit belegten Broten. War es die Solidarität der Unterprivilegierten mit den Unterdrückten, die sich da manifestierte, oder war es nur das ganz normale Zusammenhalten der Jungen gegen die Alten?

Es muß Anfang der zwanziger Jahre gewesen sein, als die ersten zwei elektrischen Lampen im Schloß Helligkeit spendeten. Die eine beleuchtete die Treppe, die andere ließ ein Zimmer, in dem wir uns von da ab allabendlich zum Lesen versammelten, in vollem Licht erstrahlen. Das war eine große Veränderung, die möglich wurde, weil man in die alte Mühle, die nur einhundert Meter entfernt stand, eine Turbine eingebaut hatte.

Wenn ich mich der wichtigsten Personen meiner Jugend erinnere, so spielen darin noch drei Figuren eine besondere Rolle – gefürchtet die eine, über alle Maßen geachtet die beiden anderen. Fräulein Quednau, die Jungfer meiner Mutter, war gefürchtet, weil sie petzte. Wahrscheinlich tat sie es, um sich das Vertrauen meiner Mutter zu erhalten. Quedchen, so nannte meine Mutter sie; für uns war sie »die Quecke«, was eine spezielle Art von Unkraut ist. Eines Tages bekam sie eine Beule am Mund, die geschnitten werden mußte, was Grenda, der sie nicht leiden konnte, zu der Bemerkung veranlaßte: »Jeder wird jestraft, wo er jesündigt hat. Bei der kann man es so richtig sehen.« Quedchen konnte sehr gut schneidern. Sie nähte Kleider für meine großen Schwestern, in die ich dann hineinschlüpfen mußte, wenn jene aus ihnen herausgewachsen waren.

Ein über alle Maßen Geachteter war der Diener Fritz. Ein ernster, äußerst korrekter Mann, der alles konnte, nicht nur, was zu seinem Metier gehörte; er führte auch die verschiedensten Reparaturen aus und verstand sich sogar auf das Züchten von Melonen. Schließlich aber ist er noch zum Volkssturm eingezogen worden und zu unserem allergrößten Kummer nie wiedergekommen.

In allen Landhäusern war das Verhältnis zum Diener immer ein ganz besonders enges und herzliches. Als in Preyl bei den Lehndorffs der Diener Albert, den wir Kinder innig liebten, weil er immer lustig war, starb, bin ich zur Beerdigung gereist, das war ganz selbstverständlich.

Als Fritz das generelle, häufig vergessene Gebot, nicht mit schmutzigen Stiefeln ins Haus zu kommen, eines Tages von sich aus erneuerte, wurde es sofort beachtet, denn es war einzusehen, daß er sonst mehr Arbeit haben würde; darum zogen wir von Stund an die Schuhe am Eingang zur Halle aus – wie die Dorfleute, die ihre Holzpantinen vor der Tür ließen, wenn sie kamen, um den Eltern einen Wunsch vorzutragen. Die Erziehung durch die Hausleute und Handwerker war eben wirklich viel nachhaltiger als durch jene Theoretiker, die dafür angestellt waren.

Fritz wußte alles und interessierte sich für alles. Eines Tages erklärte er mir, ein bestimmter Teppich, der repariert werden sollte, sei kein Kelim, wie ich gesagte hatte, sondern ein Buchara. »Wer sagt denn das?« – »So steht's im Hasenbalg«, antwortete er, »und der Graf hat gesagt, das sei das beste Buch über Teppiche, dort ist es.« Dabei zeigte er auf einen dicken Band in einem Bücherregal, den ich noch nie bemerkt hatte.

Fritz hatte ganz recht, sich für Teppiche zu interessieren. Abgesehen von den sehr schönen Gobelins, die im 18. Jahrhundert genau nach Maß für zwei Räume in Friedrichstein in Flandern gewebt worden waren, hatte mein Vater sein Leben lang Teppiche gesammelt. Sie wurden im Winter auf dem Rasenplatz vor dem Schloß ausgebreitet und auf dem Schnee geklopft, weil, wie der Vater sagte, dies die schonendste Behandlung sei. Hartes Bürsten, das nur das Gewebe beschädige, war streng verboten.

Es war ein phantastischer Anblick, wenn der

riesige Rasenplatz zur Hälfte dicht bei dicht mit Teppichen verschiedenster Größe belegt war, und eine Schar von Mädchen und Dorfbewohnern in einem ganz bestimmten Rhythmus, den sie spaßeshalber erdacht hatten, die Klopfer schwangen. Bis zum nächsten Neuschnee blieben dann absonderliche Muster von Rechtecken und Quadraten zurück, teils heller, teils dunkler Schattierung, je nach der Staubmenge, die herausgeklopft worden war.

Eine ganz unvergeßliche Persönlichkeit war der Obergärtner Krebs, ein Riese mit dickem Bauch und hochgezwirbeltem, blonden Schnurrbart, der über ein stattliches Heer von Hilfskräften gebot. Er ging stets mit einem Stock und trug immer einen Strohhut. Eine unbeirrbare und vertrauenerweckende Ruhe ging von ihm aus, und das war wahrscheinlich der Grund dafür, daß er bei jedem Gewitter im Schloß erscheinen mußte. Wenn der erste Donner grollte, mußten wir aufstehen und uns versammeln, weil meine Mutter große Angst vor einem Blitzschlag hatte. Dann saßen wir alle mit roten Schlafröcken aus Flanell bekleidet da und warteten auf den großen Moment, wo »Krebschen« erscheinen und Geschichten von früher erzählen würde.

Für uns hatte Krebschen noch aus einem anderen Grunde eine besondere Faszination: Er

besaß einen riesigen Uhu, mit dem er auf Krä-
henjagd ging, und manchmal nahm er eines von
uns Kindern mit. Der Uhu wurde in der Morgen-
dämmerung auf eine etwa zwei Meter hohe
Stange gesetzt, die oben ein kurzes Querholz
hatte. Man nannte diese Konstruktion »Jule«. Mit
einer Kette war der Uhu an das Querholz gebunden; oft wartete man – in einem Busch verborgen –
vergeblich. Aber manchmal kamen sie geflogen,
Krähen, zuweilen auch andere Vögel, um nach
ihm, der rollenden Auges auf der Stange saß, zu
stoßen. Solange sie noch weit genug entfernt
waren, so daß der kostbare Vogel nicht gefährdet
wurde, schoß Herr Krebs, und wenn er traf, dann
war die nächste Mahlzeit des Uhus gesichert.

Krebschen unterstanden die Orangerie, in der
zur Winterzeit die Zitrusbäume untergebracht
waren, die in großen Kübeln wuchsen und im
Sommer vor dem Schloß Aufstellung fanden, ferner der Garten mit dem Traubenhaus und
schließlich ein sehr großer Gemüsegarten mit
vielen Mistbeeten, denn natürlich war ein solcher
Haushalt auf dem Lande hundertprozentig aut-
ark. Nichts wurde gekauft, alles selber produ-
ziert, Eier, Gemüse, Obst. Konsumiert wurde
alles zu seiner Zeit, also immer dann, wenn die
Zeit für das jeweilige Obst oder Gemüse gekommen war.

So wurde eben wochenlang erst Spinat geges-

sen, dann kamen Erbsen dran, bis sie zu Kanonen-
kugeln herangereift waren; danach gab es Mohr-
rüben. Alles wurde überdies eingemacht oder in
anderer Weise für den Winter präpariert: Mohr-
rüben in Sand eingegraben, Gurken in Steintöpfe
eingelegt und der daraufgesetzte Holzdeckel mit
einem Stein beschwert. Auch Fleisch wurde nie
gekauft. Im Herbst und Winter gab es Wild, natürlich das ganze Jahr über Hammel- oder Kalb-
fleisch und alles, was der Hühnerhof zu bieten
hatte. Wenn irgendein Erzeugnis besonders gut
oder besonders groß geraten war, gereichte dies
allen – Besitzer und Angestellten – zur Freude und
zum Stolz. Eine Traube war von einem gar nicht

schlechten Maler gemalt worden, ehe sie der Kaiserin geschickt wurde; Grund: sie hatte das ex-
orbitante Gewicht von elf Pfund erreicht, wie auf
dem Bild zu lesen stand. Oder: Eines Tages
brachte einer der Fischer einen Hecht, der vierzig
Pfund wog und der, um ihn in seiner imponieren-
den Größe zu erhalten, auf einem Plättbrett ser-
viert wurde.

Selbstversorgung auf allen Gebieten

Höhepunkt der Selbstversorgung war das große Schlachtfest, das zweimal im Jahr stattfand und das auf Monate hinaus den Bedarf an Schinken und Würsten sicherstellte. Das war stets ein großes Vergnügen für die Küchenbelegschaft, die für diesen Zweck durch Frauen aus dem Dorf verstärkt wurde, denn bei dieser Gelegenheit gab es Schnaps und viel Gesang. Kein Staatsmann konnte über den Abschluß eines Vertrages stolzer sein als die Köchin – Mamsellchen genannt –, wenn sie nach anstrengenden Tagen die vielen Gläser mit Leberwurst und die langen Reihen von Schinken betrachtete.

Ein Tribut an die Selbstversorgung waren die Expeditionen, die unternommen wurden, um Pilze zu sammeln oder Waldhimbeeren. In solchen Fällen wurden auf einen Wagen mit großer, flacher Ladefläche zwei Reihen Strohballen gelegt, auf denen die Expeditionsteilnehmer – die Haus- und Küchenmädchen sowie wir Kinder – Platz nahmen. Zwei ruhige, geduldige Pferde wurden angespannt, denn das Unternehmen dauerte gewöhnlich einige Stunden. Unterwegs sangen wir alle – zu den beliebtesten Liedern gehörten: »Lustig ist das Zigeunerleben«, »Drei Lilien, die pflanzte ich auf mein Grab« oder »Am

Holderstrauch, da weint ein Mägdlein sehr«. Überhaupt wurde früher – als es noch keine Musikkonserven gab – viel mehr gesungen; wenn die Leute mit den Leiterwagen zur Ernte aufs Feld fuhren, wurde gesungen, jedenfalls morgens, abends waren alle für gewöhnlich zu müde. Zu meinen frühesten und schönsten Erinnerungen gehört der vielstimmige, traurige Gesang der russischen Kriegsgefangenen, die während des Ersten Weltkrieges auf dem Hof arbeiteten.

Zum Pilzesuchen wurde zu den Pregel-Wiesen gefahren. Sie waren weiß übersät mit den kleinen, runden Köpfen der jungen Champignons; stets gab es großen Wettstreit, wer wohl die meisten sammeln würde. Am Schluß waren die großen Kartoffelkörbe alle voll. Zu Haus wurden die Pilze dann zerschnitten und für den Winter getrocknet. Entweder in einem Spezialofen, in dem auch Backobst gedörrt wurde, oder sie wurden einfach auf Schnüre aufgezogen.

Das Pflücken der Himbeeren im Wald war lange nicht so begehrt. Zum einen gab es nicht so viele, zum andern war im Dickicht nur mühsam an sie heranzukommen, vor allem wegen der Brennnesseln – aber lustig war es dennoch.

Ich erinnere mich gut, wie fragwürdig mir die Umstellung von der Selbstversorgung zur Marktwirtschaft erschien, die mein Bruder einleitete, als er den Besitz übernahm. Es sei Unsinn, meinte er, alles selbst herstellen zu wollen. Viel billiger sei es, die Hühner samt der Hühnerfrau abzuschaffen und die Eier zu kaufen. Man konnte voraussehen, daß der Garten eines Tages der gleichen Argumentation zum Opfer fallen würde, und so erhob sich allgemeines Wehgeschrei ob der hereinbrechenden Veränderung. Sicher war das eine richtige Maßnahme, aber es war auch ein Stück Abschied von der alten Welt.

Eine andere Tradition, die dahinging und der ich nachtrauerte, war das winterliche Eismachen. Die Erfindung des Eisschranks kannte man noch nicht, und so war das Problem zu lösen, wie man Fleisch und andere verderbliche Dinge konservieren könne. Für diesen Zweck gab es bei jedem besseren Gutshaus einen Eiskeller, der irgendwo im Garten unter schattenspendenden Bäumen angelegt worden war. Es war ein niedriger, gemauerter Keller mit einem Strohdach – weil Stroh besser isoliert als Dachpfannen –, innen war er etwa einen Meter tief ausgeschachtet, die Außenwände mit Erde beworfen. Dort hinein wurde das Eis geschafft, das sich dann tatsächlich den ganzen Sommer lang bis zum Anfang des neuen Winters hielt.

Wenn das Eis auf dem See dreißig Zentimeter dick war, dann schickte der Oberinspektor acht oder zehn Männer, die sonst in der Landwirtschaft beschäftigt waren, zum Eismachen. Sie kamen mit Sägen und langen Stangen, an denen oben Haken befestigt waren; große Blöcke wurden der Länge nach aus dem Eis geschnitten, dann mit den Stangen aus dem Wasser gefischt, in Stücke gesägt und auf Schleifen zum Eiskeller gefahren. Das nahm den ganzen Tag in Anspruch und wuchs sich gewöhnlich zu einer Art Festveranstaltung aus, denn zur Erwärmung und Aufmunterung gab es Grog, der in großen Mengen konsumiert wurde.

Die Dorfjugend vergnügte sich derweil nebenan auf ihre Weise: Ein Pfahl wurde ins Eis eingeschlagen und an dessen oberem Ende eine vier oder fünf Meter lange Stange so befestigt, daß sie von ein paar Burschen im Kreis um diesen Pfahl gedreht werden konnte. »Krängel« hieß das Ganze. Es funktionierte wie ein Zirkel, der mit einem Schenkel festgestochen wird, während der andere sich konzentrisch um diesen festen Punkt bewegt. Am Ende der Stange wurden an Stricken Rodelschlitten angehängt, und je nachdem, wie schnell die Stange gedreht wurde, begann ein wildes Schleuderkarussell, das meist mit blauen Flecken, gelegentlich auch mit Gehirnerschütterung endete.

Es ist erstaunlich, wie erfindungsreich Kinder sind, wenn es nichts zu kaufen gibt. Um Schwimmen zu lernen, schnitten wir uns armstarke Bündel Binsen, anderwärts Ried genannt, zurecht, verbanden sie mit Bindfäden und legten uns darauf; wer so glücklich war, zwei Schweinsblasen zu ergattern, der benutzte diese nach demselben Prinzip.

Aus Weidenzweigen, die etwa daumendick sein mußten, machten wir Pfeifen. Man schnitt ein Stück von etwa zwanzig Zentimeter Länge ab und klopfte es so lange mit dem wippenden Taschenmesser, bis die Rinde sich löste und man den eigentlichen Stock herausziehen konnte. Aus diesem schnitzte man zuerst ein Mundstück zurecht, machte dahinter eine Kerbe in die Rinde und steckte den verkürzten Stock dann wieder in die Rinde. Wer ganz geschickt war, konnte sich auf solche Weise sogar eine Flöte fertigen.

Ich war in meinen Gefühlen sehr hin- und hergerissen: einerseits trauerte ich den alten Bräuchen nach, in anderer Beziehung konnte mir die Veränderung der Welt gar nicht rasch genug gehen. Eines Tages, als Halbwüchsige, vertrat ich die Meinung, es sei gut, daß das zu Friedrichstein gehörende Gut Ottenhagen aufgesiedelt werden würde. Meine Mutter, die im allgemeinen außerordentlich sozial war und viel für Wohltätigkeit tat, ärgerte sich über diese abtrünnige Feststellung und verbot mir, solchen Unsinn zu behaupten.

Ich unterließ jede Diskussion, weil ich mir sagte: Die alte Generation denkt halt anders, die muß man so lassen, wie sie ist. Es war mir auch schwer verständlich, daß es den Erwachsenen nicht unangenehm war, auf den großen Steinen vor der Haustür zu sitzen und Kaffee zu trinken, wenn die Gespanne und die Landarbeiter nur fünfzig Meter entfernt am See entlang zur Arbeit zogen. Wenn ich sie kommen hörte, machte ich mich stets aus dem Staub.

Schlachterei und Eismachen waren lustige Abwechslungen, aber das wichtigste und begehrteste Fest des Jahres war zweifellos das Erntefest. Da gab es eine richtige Kapelle, die die ganze Nacht über zum Tanz aufspielte: Walzer und Polka für Alt und Jung. Das größte Hallo gab es immer, wenn die alten Omas aus dem Dorf sich auf die Tanzfläche begaben. Eröffnet wurde der Tanz, solange meine Mutter noch lebte, von ihr und dem Kämmerer, so wurde der Vorarbeiter genannt. Die beiden tanzten ein paar Runden ganz allein, und alle standen staunend und klatschend drum herum. Später übernahm mein ältester Bruder diesen Part; das war natürlich noch interessanter, denn er konnte sich das Mädchen für den Eröffnungsreigen aussuchen – welche wird es wohl sein? Das war natürlich schon Wochen vorher eine spannende Frage.

Lange vor dem Tag des Festes wurde eine aus Ähren geflochtene Krone – die Erntekrone – ins Schloß gebracht. Überhaupt gab es bestimmte

Ein Bild, das man im Zeitalter der Mähdrescher nicht mehr kennt: Getreidegarben, die, zu großen »Kebsen« aufgetürmt, zum Trocknen auf dem Felde stehen.

Rituale, die streng eingehalten werden mußten. Während das Erntefest die Beendigung der Ernte markierte, wurde der Beginn, also das Anmähen des ersten Getreides, feierlich mit der Sense von Hand bewerkstelligt und dann mit den ersten Halmen dem Chef der Arm »gebunden«; mein ältester Bruder, der Besitzer, auf diese Weise symbolisch zur Geisel genommen, mußte sich mit einem größeren Betrag auslösen, für den dann Bier und Schnaps gekauft wurde. Als Kind ging ich gern mit aufs Feld, um die merkwürdig mystischen Sprüche zu hören, die bei dieser Gelegenheit rezitiert wurden.

Damals wurde das Getreide noch mit einer von Pferden gezogenen, sehr simplen Maschine geschnitten. Später dann – ich war schon erwachsen – gab es Zapfwellenbinder, die hinter Trekkern liefen, denn mein Bruder und ich hatten den Ehrgeiz, Friedrichstein zu einem in jeder Beziehung modernen und effizienten Betrieb zu entwickeln. Mit Hilfe von Professor Gerhard Preusschen wurden arbeitstechnische Aufrisse gemacht, ich malte Produktions- und Aufwandsstatistiken, und an arbeitssparenden Maschinen gab es alles, was die moderne Technik damals zu bieten hatte: Mähdrescher, Traktoren, Raupen, sogar pneumatische Gebläse auf dem Speicher. Wenn wieder einmal eine neue, teure Maschine gekauft wurde oder moderne Häuser für die Arbeiter gebaut worden waren, pflegten wir schon lange vor 1939 zu sagen: »Die Russen werden sich freuen.« Daß dieser Wahnsinnige Krieg machen und die Russen unsere Erben sein würden, das stand für uns fest.

Aus jenen Jahren ist mir ein Erntefest in Quittainen, einer Stiftung, die meiner Familie gehörte, in besonderer Erinnerung. Mein Bruder hatte seine obligate Rede gehalten, und wie üblich sollte nun der Kämmerer antworten. Da trat überraschend der Vorarbeiter Marx vor und sagte nur einen Satz, der sich mir unauslöschlich eingeprägt hat: »Herr Graf, wenn wieder wo noch einmal einer ›Kraft durch Freude‹ machen muß, dann bitte nicht ich.« Kraft durch Freude war eine Erfindung der Nazis, die damit ihre Volksverbundenheit und ihr soziales Engagement unter Beweis stellen wollten: Ausgesuchte, verdiente Leute wurden von der Partei für vierzehn Tage nach Mallorca eingeladen.

Oberinspektor Klatt hatte lange überlegt, wem diese Auszeichnung zufallen sollte und sich schließlich für Marx, den besten und zuverlässigsten Mitarbeiter, entschieden, obgleich er ihn nur schwer entbehren konnte. Nach jenem vernichtenden Resümee des Bevorzugten meinte Klatt: »Der Marx hat ganz recht, nächstes Jahr schicken wir den Schwarz, der taugt sowieso nichts.«

In meiner Kindheit gab es all das, was heute zum Alltagsleben gehört, noch nicht – weder Radio noch Fernsehen, ganz selten ein Auto. Wenn sich einmal ein Auto auf die Landstraßen Ostpreußens verirrt hatte, scheuten alle Pferde, und man mußte froh sein, wenn sie nicht durchgingen. Ich habe es dann erlebt, daß der Bauer vom Wagen sprang, die Jacke auszog und sie dem Pferd über den Kopf hängte, damit es des Teufelswerks nicht ansichtig wurde. Es gab also keinerlei Zerstreuung in des Wortes wirklicher Bedeutung. So waren wir ganz konzentriert auf die Menschen unserer Umgebung, auf die Natur, die Tiere, vor allem unsere Pferde, Hunde und Kaninchen.

Der Rhythmus des Jahres, der immer der gleiche blieb, bestimmte unser Leben, so daß die Bilder der Jahreszeiten sich tief in mein Gedächtnis eingegraben haben: Das Frühjahr, die Erlösung vom langen Winter, kündigt sich an, wenn das Wasser in den Seen und Flüssen blauer wird und das Schilf leuchtend gelb; wenn große Stürme die alten Bäume schütteln, daß die Erde bebt und einem ganz bang ums Herz wird; wenn die Krähen sich wieder sammeln auf dem Acker, der langsam fleckig wird, weil die Feuchtigkeit allmählich abtrocknet. Dann kommen bald die Kiebitze und später die Stare und Störche. Es riecht im Wald nach Frühling, und wenn die Morgensonne durch das erste Grün der Buchen fällt und hier und da ein paar Lichtreflexe auf das feierliche Dunkel der hohen Fichten setzt, dann weiß man, daß die lange Zeit des Winters vorüber ist und auch das Warten auf den neuen Herzschlag der Natur.

Es dauert ja nur wenige Tage in Ostpreußen, bis die endlos lange Starre des Winters sich in strahlende Frühlingspracht verwandelt. Dann brauchen die Kinder doppelt so lang für den Schulweg zum nächsten Dorf, weil es so faszinierend für sie ist, das Wasser aus den tiefen Wagenrinnen der grundlosen Landwege zu riesigen Pfützen zusammenzuleiten. Die Bauern reparieren ihre Maschinen, die rostig geworden sind, und in den Dörfern stehen sie am Abend in den Vorgärten und schauen versonnen auf die frisch geharkten Beete und die ersten Knospen der Sträucher.

Wenig später findet man dann im Park die ersten Schalen der bläulichen Stareneier und hört das unersättliche Gepiepse der ausgeschlüpften Jungen. An den Grabenrändern blühen die gelben Sumpfdotterblumen, und in den Wiesen steht das bläuliche Rosa des Wiesenschaumkrauts zwischen dem hohen Gras, das sich unter der Sense leicht neigt und dann, schön geordnet, in langen Reihen – im Schwatt – zu Boden sinkt.

Die Tage vergehen wie im Fluge, und die Nächte sind kurz. Kaum hat sich der helle Himmel im Westen verdunkelt, dann geht schon im Osten die Sonne auf und spiegelt sich wider im morgendlichen Tau. Und wer wollte sie missen in seiner Erinnerung, die Zeit der großen Ernte, wenn der Wind in kleinen Wellen über die großen Roggenfelder läuft und die grau-grünlich silbernen Halme und Ähren im Rhythmus bewegt. Nur ein paar heiße Julitage: die Ähren stehen gelb und

stramm, dicht wie eine Bürste, von der die ein-
tönig ratternden Maschinen eine Bahn nach der
anderen in ununterbrochener Rundfahrt abra-
sieren. Auf den Höfen ertönt dann das melancho-
lische Surren der Dreschmaschinen, und zwischen
den Ställen hängt der Geruch der schwitzenden
Pferde, man hört das laute Knallen der Peitschen,
mit dem sie immer wieder unerbittlich angetrie-
ben, viererlang aufs Feld gejagt werden, um eine
neue Ladung heranzuzschaffen.

Im Herbst, wenn nach langen Regenfällen der Pregel die Wiesen überschwemmt und am Abend die Wildgänse auf dem Flug nach Süden dort einfallen, beginnt die aufregendste Jagd des Jahres.

Erst wenn es Stoppelfelder gibt, Kilometer von Stoppelfeldern, über die man galoppieren kann, dann beginnt die große Zeit des Jahres. Dann muß man einen Trakehner haben, und im Herbst muß es ein Schwarzbrauner sein. Niemand hat die wirklichen Höhepunkte des Lebens je erlebt, der das nicht kennt, dieses Hochgefühl vollkommener Freiheit und Schwerelosigkeit im Sattel. Die Welt liegt einem zu Füßen, und sie ist schön und jung wie am ersten Tag, mit tausend

Tiefer ostpreußischer Winter im Park von Friedrichstein.
Oft waren wochenlang 20 Grad Kälte, manchmal sank das
Thermometer auf 30 Grad unter Null; Schnee lag regelmäßig
von Dezember bis März.

Farben angetan und von unendlichen Gerüchen
erfüllt. Man hört nur das regelmäßige Schnauben
und den Hufschlag des Pferdes, das leise Geräusch
des Lederzeugs und spürt dann und wann eine
kühle Luftströmung, die der Schatten einer alten
Eiche am Wegrand verursacht.

Knallrot stehen die Beeren der Ebereschen
gegen den lichtblauen Herbsthimmel. Die Birken
werden von Tag zu Tag leuchtender in ihrem
Goldgelb, und die kurzgefressenen Wiesen sehen

aus wie ein alter, fleckig gewordener Samt. Das ist die Zeit, wenn die Elche im Bruch noch heimlicher werden und der große Vogelzug beginnt. In riesigen Scharen ziehen sie dann gen Süden. Die Störche und Stare und das kleine Volk sind längst fort, wenn sich die königlichen Vögel aufmachen: die Schwäne, Kraniche und Wildgänse, die wie Perlen zu einer Schnur gereiht über den rötlichen Abendhimmel ziehen.

Es ist, als nähmen sie alles Leben und alle Freuden mit, denn jetzt beginnen schwermütige, regenreiche, dunkle Wochen. Die Wege werden immer grundloser, mühsam wühlen sich die Gespanne durch den aufgeweichten Rübenacker, und in den Alleen treibt der Wind die Blätter in Wirbeln zusammen. Wenn erst der November begonnen hat, dann muß man oft schon um drei Uhr die Lampen anzünden und ein Feuer im Kamin machen, um die klammen Füße und Hände zu wärmen. Erst die Weihnachtsvorbereitungen reißen die Menschen wieder vorübergehend aus ihrer dumpfen Teilnahmslosigkeit. Jeden Tag haben die Dorfkinder neue Ausstattungswünsche für das Krippenspiel im Gemeindehaus, zahllose Stollen und Pfeffernüsse werden für die Weihnachtsbescherung des Dorfes gebacken, hier und da taucht am Abend der traditionelle »Schimmelreiter« auf, und zwischen das eintönige Getöse seines Brummbasses mischt sich das

Gekreisch der Mädchen, die durch Bär, Storch und Schimmelreiter in Schrecken versetzt werden.

Dann beginnt die Zeit der Bücher. Mit fünfzehn Jahren habe ich alles verschlungen, was in den Bücherschränken stand. Thomas Mann, Knut Hamsun, Stefan Zweig, Franz Werfel, Leonhard Frank, Hans Fallada und natürlich Hugo von Hofmannsthal und Rainer Maria Rilke und viele Bände Dostojewski.

Aber kein Autor, auch kein Lyriker, kann poetischer sein als jene herbstlichen Morgen, an denen man noch im Dunkeln zum Pirschen aufbricht. Wenn die Sonne aufgeht und in ihren ersten Strahlen der Tau auf den Wiesen wie Diamanten funkelt, wenn der ferne See durch die Bäume schimmert, dann fühlt man sich dem Wesentlichen zum Greifen nah. Nicht nur die Augen, die solch unbefleckte Herrlichkeit schauen, nicht nur das Gehör, das die lautlose Stille aufnimmt – in solchen Momenten ist es, als sei der ganze Mensch durchlässig für das Wunder der Schöpfung.

Unnachahmlich so ein Morgen: Niemand weit und breit, die ersten Hummeln wachen auf, dann und wann springt ein Reh ab, fliegt ein Vogel auf; aber das Gewehr ist nur ein Vorwand: nur ja kein Schuß jetzt, der die heilige Stille stören könnte. Alle Wahrnehmungen verdichten sich zur

Inspiration, plötzlich versteht man alles, das Leben, das Sein, die Welt. Und es gibt nur noch ein Gefühl: tiefe Dankbarkeit dafür, daß dies meine Heimat ist.

Der Woriener See, dessen Fischerei-Rechte zu Friedrichstein gehörten.

Ebenso erfüllt waren für mich die Tage bei manchem unserer weiten Ritte, wenn meine Cousine Sissi Lehndorff und ich, die Bügel kurzgeschnallt, im Rennsitz unsere Pferde laufen ließen, was sie konnten. Man hört den Hufschlag auf den sandigen Wegen und spürt den Wind im Haar. Ganz dem Moment hingegeben, ist man erfüllt von unendlichem Glücksgefühl; ein wenig mischt sich Sehnsucht hinein: Dort hinter dem blauen Horizont, dort würde das Leben beginnen.

Nicht so poetisch, dafür laut und lustig, waren die großen Hasenjagden, die vorwiegend zwischen Weihnachten und Neujahr stattfanden. Dann kamen Vettern und Freunde, die schon am Abend zuvor anreisten. Morgens ein geschäftiges Hin und Her: Patronen, Flinten, Pelzmützen werden gesucht, ein umfangreiches Frühstück, dann besteigt man die Fuhrwerke, und auf geht's. Herrlich der verschneite Wald. Die Schützen werden auf den großen Schneisen, die die einzelnen Jagen voneinander trennen, in Deckung aufgestellt, etwa alle achtzig bis einhundert Meter einer. Und dann beginnt das große Warten.

Endlich hört man die Förster blasen, die Signale hallen weit durch den stillen Wald: »linker Flügel zurückbleiben« oder »rechter Flügel vor«. Dann kommen allmählich auch die Treiber näher. Sie rufen Hepp, hepp ... schlagen dann und

wann mit ihren Stöcken an einen Baum. Aufregend wird es, wenn plötzlich ein Fuchs, nach allen
Seiten sichernd, auftaucht; er ist noch zu weit,
schnürt wieder ein in die Dickung, wird nicht
mehr gesehen – wahrscheinlich ist er zurück nach

Im Fühjahr und im Herbst waren alle Wege grundlos.

hinten und zwischen den Treibern hindurch ent-
wischt.

Mittags gibt es auf einer Lichtung ein großes
Feuer zum Aufwärmen und heiße Erbsensuppe.
Die Schützen sitzen auf ihren Jagdstöcken oder
auf Baumstämmen und berichten Wunderdinge
über das, was sie gesehen und erlebt haben. Nach
kurzer Rast geht es weiter. Oft kommt dann noch
ein Kesseltreiben auf dem Feld. Das ist fast eine
Generalstabsarbeit: Ohne allzuviel Zeitverlust
muß ein Kessel, also ein Kreis von etwa einem
Kilometer Durchmesser gebildet werden. Dann
wird von der Peripherie zur Mitte hin getrieben,
jeweils zwei bis drei Treiber in der Kette, dazwi-
schen ein Schütze; so rückt die Armee auf schweren Stiefeln langsam vor und treibt das Wild
zusammen, das versucht, den tödlichen Ring zu
durchbrechen. Es ist ein Bild, das an alte asiatische
Stiche erinnert.

Abends war dann stets ein Diner, bei dem auch
wir Kinder am Katzentisch dabeisein durften und
uns herrlich amüsierten. Solche abendlichen
Diners, zu denen wir zugelassen wurden, waren
das einzige, was uns an offiziellem Amüsement
geboten wurde. Auf den Gedanken, ein Kinder-
fest zu veranstalten oder Geburtstage in extrava-
ganter Weise auszugestalten, wäre niemand
gekommen. Kinder spielten zu jener Zeit keine
eigene Rolle, die sollten erst mal mit Anstand

erwachsen werden, dann würde man weitersehen – das etwa mag die Einstellung der Erwachsenen gewesen sein. Manchmal unterhielten wir uns darüber, wie *wir* unsere Kinder erziehen würden. Meine Cousine und spätere Schwägerin Sissi meinte, ihr Ideal seien die Kinder von Ludorf, dem Kutscher, zu Hause in Preyl. Begründung: Alle sieben spritzten nur so herbei, wenn der Vater ruft, alle könnten prima mit Pferden umgehen, auch der Neunjährige sitze zu Pferde wie ein Jockey.

Wir waren im Grunde froh, daß man sich um uns verhältnismäßig wenig kümmerte, denn wir waren uns selbst vollauf genug. Auch hatten wir immer etwas vor. Unternehmungen, von Erwachsenen geplant, wären nur störend gewesen. Und wenn einmal Verwandte oder Bekannte gleichaltrige Kinder mitbrachten, konnten wir gar nicht erwarten, daß sie wieder abfuhren, denn meist waren sie für unsere Zwecke ganz unbrauchbar: entweder zu fein oder zu ängstlich.

Apropos zu fein. Ich muß offenbar manchmal ziemlich verwildert ausgesehen haben, in solchen Fällen pflegte Grenda dann kopfschüttelnd zu sagen: »Und das will 'ne Komtess sein?« Eines Tages, ich war etwa dreizehn Jahre alt, sollte eine neue Lehrerin für mich eintreffen. Ich hatte Order, sie vernünftig angezogen und sauber gewaschen am Nachmittag zu empfangen. Aber dann hatte ich mich beim Ausmisten der Karnickelställe verspätet, und es gelang mir nur, so wie ich war, an die Haustür zu stürzen, um sie zu begrüßen und in ihr Zimmer zu geleiten. Dann machte ich mich zurecht – *comme il faut*, wie meine Mutter zu sagen pflegte – und ging, um sie zum Abendessen zu holen: »Bist du die Marion?« Ich bejahte. Darauf sie etwas vorwurfsvoll: »Ich dachte eigentlich, du würdest zu meinem Empfang da sein.« Eine Sekunde überlegte ich, aber dann schien mir der Irrtum ein kleineres Übel als die Wahrheit, und so ließ ich sie bei ihrer Vorstellung.

Unsere nächsten Verwandten waren die Steinorter Lehndorffs. Steinort war ohne Zweifel der
schönste Besitz in Ostpreußen. Das Herrenhaus,
das nach dem Tode des 1688 verstorbenen Ahasverus Lehndorff von seiner Witwe Marie-Eleonore Dönhoff aus Friedrichstein erbaut wurde,
war weniger ansehnlich, weil es in späterer Zeit
durch Anbauten verschandelt worden war, aber
die Landschaft war unvergleichlich großartig.

Auf drei Seiten vom Mauersee umgeben, dem
größten der masurischen Seen, der mit mehreren
kleinen in Verbindung steht, war Steinort eine Art
Halbinsel. Viel Wald gehörte dazu und eine Reihe
großer Gutshöfe. Im Park, der sich bis herunter an
den See zog, standen dreihundertjährige Eichen.
An einer von ihnen hing in meiner Kinderzeit
noch eine Tafel vom Ende des 18. Jahrhunderts,
auf der der damalige Besitzer einem Freund in
mittelalterlichem Französisch seine Treue
bekundete.

Steinort war ein sagenumwobener Ort. Nicht
nur, daß es dort – wie übrigens in jedem besseren
Schloß in Ostpreußen – spukte, auch der See mit
den vielen abenteuerlichen Geschichten, die die
Fischer zu berichten wußten, sowie die große Ein-
samkeit der Wälder, überhaupt der Natur, dies

alles miteinander gab den lustigen Tagen dort
gelegentlich eine unheimliche, fast magische
Note.

Natürlich spielte der Mauersee, dieses Para-
dies nicht nur der Wasservögel, sondern aller
Vögel, eine riesige Rolle. Es gab Tausende von
Enten, viele Blesshühner, Rohrdommeln, Kormo-
rane, Wildgänse, Schwäne, gelegentlich auch

Seeadler. Auf der berühmten Steinorter Entenjagd, die immer im Juli an einem Sonnabend und
dem darauffolgenden Montag stattfand, wurden
stets zwischen sechshundert und siebenhundert
Enten geschossen: Die Treiber wateten in hohen
Gummistiefeln, die bis an die Hüfte reichten,
durch das Schilf und trieben die Enten den Schützen zu, die, in wackeligen Booten stehend, recht
häufig vorbeischossen.

Im Winter, wenn der See zugefroren war,
wurde quer über das Eis auf die gegenüberlie-
gende Seite nach Angerburg gefahren – das sparte

Fischer am Mauersee prüfen den Fang.

etwa sieben Kilometer. Aber man mußte aufpassen, denn in jedem Jahr gab es Stellen, wo im Frühjahr das Eis unter weit hallendem Donner riß und sich drohende Spalten bildeten. In der Dunkelheit war es jedenfalls gefährlich, den See zu überqueren, was wohl auch zu seiner Mystifizierung beitrug.

Zu unserer Kinderzeit begann gerade ein neuer Sport: das Eissegeln. Ein flacher, niedriger Schlitten auf weit auseinander liegenden Kufen mit einem hohen Segel trug den des Segelns Kundigen in größter Geschwindigkeit über weite

Die Netze werden eingezogen.

Strecken; man mußte nur achtgeben, nicht in eine Spalte zu geraten. Mit den Jahren ist dieser Sport immer weiter perfektioniert worden, und schließlich fanden große Regatten auf dem Mauersee statt.

Die Lehndorffs waren mit dem Deutschen Ritterorden nach Ostpreußen gekommen. Anfang des 16. Jahrhunderts wurden sie vom

Auf Entenjagd am Mauersee.

Orden mit Steinort belehnt. Die Verleihungs-
urkunde über »Die Große Wildnis am See« war
ausgestellt auf Fabian, Caspar und Sebastian von
Lendorf. Ihre Nachfolge trat Meinhard, geboren
1590, an – er war es, der die Eichenalleen im Park
von Steinort gepflanzt hat.

Sein Sohn, der 1688 verstorbene Ahasverus,
war als Neunzehnjähriger, zusammen mit seinem
gleichaltrigen Vetter Eulenburg und dem sie be-
gleitenden »Hofmeister«, zu der großen Kava-
lierstour aufgebrochen, welche in früheren Zeiten Söhne aus großen Häusern zu ihrer Bildung
absolvieren mußten. Jahrelang waren sie durch
Europa gereist, hatten in Frankreich Strategie
studiert, in Bologna Juristerei, waren in England
bei Cromwell zu Gast gewesen und sahen in Paris
Ludwig XIV. aus nächster Nähe. Überall trafen sie
andere junge Leute aus aller Welt, die gleich ihnen
ihren Horizont erweitern und Wissen erwerben
wollten; überall verkehrten sie in den Häusern
bekannter Persönlichkeiten. So war Lehndorff
offenbar ein gern gesehener Gast bei der in Paris
lebenden Tochter Gustav Adolfs, der Königin
Christine von Schweden.

Mein Vetter, der Arzt Hans Lehndorff,
schreibt in seinem Buch »Menschen, Pferde, weites Land« über diese sieben Jahre während Reise
seines Vorfahren: »Später, von Italien aus,
besuchte er die Malteser auf ihrer Insel, freundete

sich mit vielen Ordensrittern an und wurde von ihnen auf Kaperfahrt gegen Türken und Seeräuber mitgenommen. Man ehrte ihn damit, daß er als erster auf ein Seeräuberschiff hinüber springen durfte, wobei er aber feststellen mußte, daß die gesamte Mannschaft an der Pest erkrankt bzw. schon gestorben war.«

Diese Bildungsreise war übrigens keineswegs eine Lustreise, denn erstens mußten die beiden jungen Leute ein streng diszipliniertes Leben nach festem Stunden- und Studierplan führen. Zweitens war das Reisen in jener Zeit außerordentlich beschwerlich, gefährlich und entbehrungsreich: sie wurden von Räubern überfallen, der Wagen brach auf den schlechten Wegen häufig zusammen, Essen war oft knapp, manchmal gar nicht zu beschaffen.

Da selbst bei äußerster Sparsamkeit eine solche Reise natürlich erhebliche Kosten verursachte, haben die, die sich so etwas überhaupt leisten konnten, es nur in den Fällen getan, wo sich eine solche Investition lohnte. Als jener Ahasverus Lehndorff, der später eine Tochter aus Friedrichstein heiratete, sechsundzwanzigjährig nach Hause zurückkehrte, wurde allgemein sein unglaublich großes Wissen bestaunt. Er ging zunächst nach Polen, wo König Kasimir ihn zum Befehlshaber über sämtliche in Polen dienenden Deutschen machte. Nach sechs Jahren in Polen trat er in brandenburgisch-preußische Dienste und bekleidete verschiedene hohe Stellungen. Der Große Kurfürst soll beim Tod von Ahasverus Lehndorff gesagt haben: »Ich habe meinen besten Staatsmann verloren.«

Zwei Jahre vor seinem Tode, 1686, ist er von Kaiser Leopold zum Reichsgrafen gemacht worden. Im gleichen Jahr heiratete er in dritter Ehe Marie-Eleonore Dönhoff, nachdem seine ersten beiden Frauen jung gestorben ware. Immer wieder wird in der Geschichte der Familie von solchen Schicksalen berichtet. Da heißt es beispielsweise: »Seine Frau war bei ihrem Tode 28 Jahre und hatte acht Kinder.« Oder: »Sie starb mit 26 Jahren, zwei Tage nach der Geburt des sechsten Kindes.« Die Kinder starben in jener Zeit ebenfalls reihenweise. Der Besitz, den ich später verwaltete, Quittainen, war vom letzten Besitzer, Bogislaw Friedrich Dönhoff, in eine Familien- und Armenstiftung umgewandelt worden, nachdem seine elf Kinder vor ihm gestorben waren. Und Dönhoffstädt, das bis dahin Wolfsdorf hieß, war aus ähnlichem Grund in den Besitz meiner Familie übergegangen. Der Vorbesitzer, von Rautter, hatte 1586 durch die Pest fünfzehn Kinder verloren; nur eine Tochter überlebte und heiratete einen Dönhoff. Übrigens ging Dönhoffstädt der Familie wieder verloren, weil der letzte Dönhoff dieser Linie 1810 als Zwanzigjähriger im Duell gefallen ist.

Es ist erstaunlich, was oft auf dem Dachboden solcher alten Häuser wie Steinort an Briefen und Dokumenten erhalten geblieben ist. Manchmal haben die Papiere dort hundert Jahre und länger in Kisten geruht. Die Kinder eines eben Verstorbenen interessieren sich im allgemeinen nicht dafür: »Was soll in den Briefen von Onkel X und Tante Y schon Bedeutendes stehen?« Aber drei Generationen später, wenn das »belanglose Zeug« Geschichte geworden ist, dann gibt es mit Sicherheit irgendeinen Urenkel, der sich mit Fleiß entweder selber darüber hermacht oder einen Sachverständigen dafür gewinnt. Doch solches Material erhält sich natürlich nur in Häusern, die über Generationen in derselben Familie bleiben.

Die Mutter des oben erwähnten Onkels Carol, Anna, geb. Gräfin Hahn, war nicht nur für alles Soziale engagiert, sie interessierte sich auch für Geschichte. Eines Tages hatte sie auf dem Dachboden die in französischer Sprache geschriebenen Tagebücher des Enkels von Ahasverus entdeckt. Er hieß Ernst Ahasverus und war dreißig Jahre lang der Kammerherr der Königin Elisabeth Christine, der Frau Friedrichs des Großen. Seine kritischen Aufzeichnungen sind eine höchst unterhaltsame Quelle, aus der man viel über das Leben am preußischen Hof jener Zeit erfährt.

Ein erster Band erschien 1906, weitere drei

Bände folgten. In unseren Tagen hat Haug von Kuenheim als Herausgeber eine Auswahl daraus in einem Band zusammengefaßt, der bei Siedler in Berlin erschienen ist. Ebenfalls auf dem Dachboden in Steinort lagerten etwa achthundert Briefe des Prinzen Heinrich, des Bruders von Friedrich dem Großen, die er an den Kammerherrn Ernst Ahasverus geschrieben hat.

Der Urenkel jenes 1688 verstorbenen Ahasverus Lehndorff hieß Carl. Carl Lehndorff, dessen Schwester mit meinem Urgroßvater August Philipp Dönhoff verheiratet war, hat sich im Kampf gegen Napoleon mehrfach ausgezeichnet. Er war ein Parteigänger des Generals von Yorck. Im Dezember 1812 ritt er auf tiefverschneiten Wegen die hundert Kilometer von Gumbinnen nach Tauroggen in einem Tag, um Yorck die Zustimmung der Landstände zur Auflösung der erzwungenen Waffenbrüderschaft mit Napoleon – der Konvention von Tauroggen – zu überbringen. Auch stellte er im Zuge dieser Ereignisse ein Kavallerie-Regiment auf, das fast ausschließlich von den preußischen Landständen finanziert wurde und das sich in den Befreiungskriegen 1813/14 besonders hervortat.

Die Konvention von Tauroggen – durch die das preußische Hilfskorps für neutral erklärt wurde –, also der Abfall Preußens von Napoleon, den General von Yorck auf eigene Kappe mit dem

127

russischen General Diebitsch beschlossen hatte, löste unter den Ostpreußen allenthalben Erleichterung aus. Allerdings auch Sorge, denn man wußte zunächst nicht, ob der preußische König Friedrich Wilhelm III. und der russische Kaiser Zar Alexander I. dieses *renversement des alliances* bestätigen würden. Es hätte leicht sein können, daß die Franzosen sich rächten und in ihrem Zorn die Provinz noch mehr verwüsteten, als dies schon zuvor geschehen war. Würden die Russen genügend Truppen nachrücken lassen, um dies zu verhindern? Und was sollte aus Königsberg werden?

Am 23. Dezember 1812 schreibt Amélie Lehndorff, geb. Dönhoff, aus Königsberg an ihren Sohn Carl nach Steinort: »Die Stadt wimmelt von unglücklichen Opfern. Die Straßen sind voll von französischen Generalen und Obersten in allerlei Vermummung, sogar mit Hüten von Bauernweibern und halbtot von Hunger und Frost ... Gestern abend sah ich preußische Truppen in guter Ordnung einziehen. Alles das macht mir die höchste Besorgnis, daß man vorhabe, die Stadt zu verteidigen. Manchmal denke ich auch, daß die Russen gar nicht die Absicht haben, die Franzosen zu verfolgen, weil sie allzu langsam darin vorgehen.«

Am 31. Dezember 1812 schreibt sie: »Wir hielten sie (die fliehende französische Armee) für verfolgt von den Kosaken, und wir machten uns von Tag zu Tag auf schreckliche Szenen in unserer armen Stadt gefaßt, auf Brand und Plünderung, aber anstatt Kosaken sahen wir französische Truppen, ganz frisch und gut ausgestattet, wieder erscheinen, die unter meinem Fenster mit der größten Ordnung aufmarschierten. Man sagt, sie seien den Russen entgegengezogen, aber man hört nichts mehr davon, und sie scheinen wie verschwunden. Von den Kosaken dagegen behauptet man, sie überall zu sehen, nur nicht hier in Königsberg.«

Wenige Tage später, am 4. Januar 1813, schreibt August Philipp Dönhoff, der Schwager von Carl Lehndorff, in sein Tagebuch: »Als ich heute nach Friedrichstein zurückkam, fand ich das Haus voller Russen, Kosaken und Husaren. Unter ihnen ein Prince Tartar, ein Graf Koschkull, und viele kosakische Offiziere. Die sämtlichen Zimmer waren überfüllt, und das Frühstück ging den ganzen Tag über. Alle waren sehr höflich und rücksichtsvoll. Zur Nacht soll noch der General Kutusow und der Oberst Tettenborn mit fünfzehn Offizieren kommen ... Jemand, der in Königsberg war, berichtet, die Konvention habe die russische Armee in große Begeisterung versetzt: die preußischen Offiziere und Soldaten hätten sich vor deren Augen die französischen Orden und Ehrenzeichen abgerissen und sie weggeworfen.« Jeder sei sich im klaren darüber, schreibt er, daß alles auf dem Spiel stehe. Schließlich war Preußen Napoleon zur »Heeresfolge« verpflichtet, Napoleons Schwager, der König von Neapel, befand sich noch in Königsberg, desgleichen Maréchal McDonald. Und der preußische König hatte seine Zustimmung bis dato nicht gegeben.

Noch viele Jahre nach dem Ende der Napoleonischen Kriege lebte in Ostpreußen alle Welt in größter Armut. Jener Urgroßvater, der mit soviel Gelassenheit die Kosakeninvasion in Friedrichstein ertrug, hat dreißig Jahre lang mit penibler Akribie seine Ausgaben in schmale, längliche Bücher eingetragen, auch dies wieder in französischer Sprache. In der Spalte »Kleidung« steht über viele Jahre nur »Schuhe besohlen« und »Kragen wenden«. Unter »Vergnügungen« ist notiert, daß er mit den Vettern Dohna Wein in Königsberg getrunken hat; gelegentlich ist auch ein Glas Bier notiert.

Selbst wenn man Geschichte nur aus der Perspektive eines einzelnen Besitzes – beispielsweise von Friedrichstein aus – betrachtet, wird deutlich, wie hilflos das Land und die Bevölkerung immer wieder in jedem Jahrhundert, manchmal in jedem Jahrzehnt, den kriegerischen Heimsuchungen preisgegeben war. Die einzige Zeit der Ruhe und Prosperität ist die Periode gewesen, die nach dem Deutsch-Französischen Krieg 1870/ 71 mit den Gründerjahren begann. Freilich war das auch das Ende des alten Preußens. Von dem damaligen Besitzer von Friedrichstein – meinem Großvater – wurde dieser Umstand sehr beklagt. Seine Schwester, die Hofdame in Potsdam war und über dreißig Jahre eine politische Korrespondenz mit dem Bruder führte – es gab viertausend Briefe im Friedrichsteiner Archiv –, schilderte mit Entrüstung und Widerwillen, wie unter dem beginnenden Gründerrausch die Geldgier in Berlin um sich griff.

Der Partner dieses Briefwechsels, mein Großvater August Heinrich Hermann, war in den vierziger Jahren preußischer Gesandter am Bundestag in Frankfurt gewesen. Jahrelang hat er dort gegen den Partikularismus und für ein einheitliches Deutschland gekämpft. Im März 1848 geht er weit über seine Kompetenzen hinaus: Er hat den Vorsitz im Bundestag und entschließt sich – ohne dazu autorisiert zu sein –, die Proklamation für deutsche Verfassungsrechte und für das Bundespressegesetz durchzudrücken, das die bestehende Zensur aufheben soll. Am 9. März 1848 läßt er den Reichsadler zum Bundeswappen und Schwarz-Rot-Gold zu Bundesfarben erklären.

August Heinrich Dönhoffs Name steht auch unter den letzten weittragenden Entschlüssen, die die Bundesversammlung faßte. Dazu gehörte am 31. März 1848 der Beschluß, »daß es eine heilige Pflicht des deutschen Volkes sei, mit allen Kräften die Wiederherstellung des Polen-Reiches zu erwirken, um das durch die Teilung bewirkte Unrecht wieder gut zu machen.«

Die Preyler Lehndorffs

Das Fideikommiß Steinort war der Stammsitz der Lehndorffschen Familie, aber »meine« Lehndorffs, Sissi und Heini, mit denen zusammen ich, jedenfalls streckenweise, erzogen wurde, die gehörten nach Preyl. Preyl lag etwa siebzehn Kilometer nördlich von Königsberg an einem See. Der Bruder von Onkel Carols Vater, Heinrich Lehndorff, hatte den Besitz erworben, diese Nebenlinie begründet und bald nach 1900 das dem Zeitgeist entsprechend unschöne Schloß gebaut.

Heinrich Lehndorff war seit 1866 Flügeladjutant des Königs und nachmaligen Kaisers Wilhelm I. Er war bis zu dessen Tode 1888 sein ständiger Begleiter und Vertrauter. Lehndorffs ältester Sohn Manfred, der Vater meiner beiden Kumpane – der letzte Besitzer von Preyl –, war ein hervorragender Reiter. Er gehörte zu den besten Dressurreitern seiner Zeit und ritt auch häufig seine Pferde selber im Rennen.

In Preyl drehte sich alles um Pferde. Manfred hatte einen Rennstall in Königsberg auf einem Gelände in Carolinenhof, wo sich auch die Rennbahn befand. In den Ferien fuhren wir manchmal früh morgens mit, wenn er mit zwei Trabern vor dem leichten Wagen in unglaublicher Geschwindigkeit nach Königsberg kutschierte. Die Morgenarbeit der Rennpferde begann schon um sechs Uhr, so daß wir in Preyl um vier Uhr aufstehen mußten.

In Carolinenhof herrschte um diese Zeit ein lustiges Durcheinander von Pferden, Jockeys und Trainern der verschiedenen Rennställe, die alle dort mit ihren »Lots« antraten. Manfred selbst oder sein Oberkutscher Ludolf diktierte jedem der Preyler Pferde das für diesen Tag offenbar angemessene Training zu: 1200 Meter schnellen Galopp oder 1500 Meter mittleres Tempo – es gab unendliche Variationen, je nachdem, ob der Hengst oder die Stute am nächsten Sonntag laufen sollte und in welchem Rennen.

Heini und Sissi ritten oft mit in der Morgenarbeit; ich war in dieser Branche nicht kompetent genug und durfte nur zuschauen, genoß dies aber auch und noch mehr das Frühstück, das es dann nach getaner Arbeit endlich um acht Uhr gab und bei dem ohne Unterbrechung gefachsimpelt wurde, denn natürlich hatte man auf der Rennbahn auch die Konkurrenz beobachten können.

Sissi und ich hatten in Preyl zwei Stuten, mit denen wir allein ausreiten durften: »Försterchristel« und »Balga«, die wir um die Wette über die langen Sandwege jagten. Sissi war eine enorm begabte Reiterin, die schon früh von ihrem Vater in die Lehre genommen worden war und sich daher auch auf Dressur verstand.

134

Manfred Lehndorff, Vater meiner beiden Jugendgefährten, war einer der bekanntesten Dressurreiter seiner Zeit.

Ein beliebter Sport im Winter war es, eines dieser wilden Tiere anzuschirren und eine Kette von Rodelschlitten anzuhängen, was meist damit endete, daß die ganze Kavalkade außer Kontrolle geriet, denn für das Pferd war die Last, die es zu ziehen hatte, ungewohnt leicht. Es nahm gern die Gelegenheit wahr und ging spätestens auf dem Rückweg hemmungslos durch. Das hatten dann

In Preyl drehte sich alles um Pferde: meine Cousine Sissi Lehndorff.

gewöhnlich die letzten Schlitten auszubaden, die ungesteuert hin und her geschleudert wurden, bis einige von ihnen zum Schluß umkippten.

Ich versuche, mich an unsere Schulstunden in Preyl zu erinnern, aber mir kommen immer nur Pferde in den Sinn. Ich weiß nicht einmal mehr, wo – in welchem Zimmer – der Unterricht stattfand. In Preyl hatten die Zimmer im oberen Stockwerk Nummern – wie im Hotel. Ich fand dies sehr phantasie- und lieblos. Wie schön waren dagegen in Friedrichstein die Namen der Fremdenzimmer, die auf kleinen, an den Schlüsseln befestigten Messingschildern verzeichnet waren: Stammbaumstube, Bilderstube, Pfanschmidtstube, Königsstube, große und kleine Generalsstube. Die letzteren hießen so nach dem Bruder meines Großvaters, General Louis Dönhoff. Dieser hatte übrigens, weil es im Winter in den sieben Meter hohen Räumen sehr kalt war, auf halber Höhe – die Wärme steigt bekanntlich nach oben – eine Stellage einbauen lassen, die er mit Hilfe einer Leiter erklomm, um dort gemütlich in einem Fauteuil Platz zu nehmen.

Apropos Unterricht erinnere ich mich nur an eine der verschiedenen Lehrerinnen, eine junge, weltfremde Person: Fräulein Kobert. Da sie die Kompetenz hatte, Strafen zu erlassen, sahen wir sie sozusagen als unseren Klassenfeind an und hielten uns für berechtigt, sie zu bekämpfen. Sie war von Natur ängstlich, und diese Eigenschaft eröffnete große Möglichkeiten. Eines Tages setzten wir während ihrer Abwesenheit eines unserer braunen Meerschweinchen in ihr Zimmer und beobachteten gespannt durchs Schlüsselloch, welchen Effekt dies wohl haben würde. Offensichtlich hatte sie noch nie so ein Tier gesehen und hielt es vermutlich für eine Art von Ratte, jedenfalls war sie in ihrer Angst auf den Tisch gestiegen und hielt von dort Ausschau nach dem fremdartigen Tier, das seinerseits, verängstigt durch die ungewohnte Umgebung, unter das Bett geflüchtet war.

Heini Lehndorff vor dem Steinorter Haus.

Viel später, als wir alle drei längst erwachsen waren, erbte Heini den Stammsitz Steinort. Das war 1936, nach dem Tode von Onkel Carol, der keine Kinder hatte. Heini Lehndorff zog nach Masuren in das Gebiet, das einst als »große Wildnis« bezeichnet worden war, und hat mit viel Kompetenz und nie erlahmter Passion die Wirtschaft modernisiert und sie betriebswirtschaftlich wie sozial beispielhaft geführt.

Nach dem 20. Juli 1944, der Heini wie auch allen anderen Freunden zum Schicksal wurde, bin ich nie wieder in Steinort gewesen. Wir waren beide dem Kreis der Verschwörer gegen Hitler verbunden. Ich hatte mit gewissen Vorbereitungen zu tun, Heini mit der aktuellen Durchführung.

Meine Aufgabe war es gewesen, Heini Dohna, der nach Zustimmung durch Stauffenberg und den inneren Kreis als Chef für Ostpreußen vorgesehen war, anzuwerben; ferner einen Überblick darüber zu schaffen, wer von den Leuten in der Provinz-Verwaltung, die durch den Gauleiter Erich Koch dominiert war, in unserem Sinne nützlich sein würde und wer, im Gegenteil, gefährlich; und schließlich sollte ich den Chef eines Panzergrenadier-Regiments, das als einzige Einheit nicht dem örtlichen Kommando, sondern Berlin direkt unterstand, für den Ernstfall gewinnen.

In Ostpreußen mußte man insofern mit besonderen Schwierigkeiten rechnen, als sich hier – im Steinorter Mauerwald – das Führer-Hauptquartier befand und ein Teil der militärischen Führung. Das Schloß selbst war von Außenminister Ribbentrop als Quartier requiriert worden. Das Attentat mußte dort also sehr sorgfältig vorbereitet werden, und der zukünftige Chef mußte eine starke, in jeder Hinsicht glaubhafte, überzeugende Persönlichkeit sein. Niemand schien geeigneter als Heinrich Graf Dohna aus Tolksdorf, ein bei Zivil und Militär gleichermaßen hochgeachteter, respektgebietender Mann. Er sagte sofort zu und ist gleich allen anderen hingerichtet worden.

Lange Zeit habe ich mich mit der Frage gequält, warum er, den ich geworben hatte, dieses Ende fand, während ich nur verhört wurde, aber davongekommen bin. Die Antwort erfuhr ich erst später: Er stand auf der Liste derer, die Posten zu übernehmen hatten, während ich glaubte, mich um die mir übertragene Verantwortung in Friedrichstein und Quittainen kümmern zu müssen, und daher für andere Verpflichtungen nicht zur Verfügung stehen konnte.

Am 19. Juli erreichte Heini Lehndorff in Steinort, wo er einen wirtschaftlichen Sonderurlaub verbrachte, die Nachricht, daß es am folgenden Tag losgehen werde. Es war 7 Uhr morgens, wenige Stunden, bevor Stauffenbergs Bombe explodierte, als er nach Königsberg fuhr, um nach gelungenem Attentat beim Wehrbezirkskommando die Übernahme der Macht durch die Repräsentanten General Becks zu leiten. Er zog sich im Walde um, denn die Sicherheitspolizei, die zum Schutz Ribbentrops abgestellt war, durfte nicht sehen, daß er Uniform trug.

Nachdem sich die ersten Nachrichten über das Scheitern des Attentats über den Rundfunk verbreitet hatten, kehrte er tief deprimiert und besorgt zurück. Er ließ das Auto auf einem Vorwerk stehen, bestieg sein Pferd und ritt, scheinbar aus der Wirtschaft heimkehrend, in Steinort auf den Hof. Als die Gestapo am nächsten Tag im Auto vorfuhr, was er zufällig am Fenster stehend beobachtete, war seine Reaktion offenbar ganz spontan: nur nicht sich greifen lassen. Es war, als hätte der Erdboden ihn verschluckt. Er war sofort verschwunden. Niemand hat ihn mehr gesehen. Wahrscheinlich ist er aus dem ersten Stock in den Garten gesprungen und herunter zum See gerannt. Bald danach hatten die Gestapo-Leute ihre Wolfshunde losgelassen, die ihn verfolgten, aber rasch seine Spur verloren, weil der geübte Jäger weite Strecken am Ufer im Wasser gelaufen war. Später, nachdem er sich – um seine Familie nicht zu gefährden – doch gestellt hatte, ist er der Gestapo in Berlin noch einmal entkommen, aber nur für wenige Tage. Am 4. September endete sein Leben am Galgen in Plötzensee.

Sissi, die seit 1933 mit meinem Bruder Dieter verheiratet ist, hatte nun beide Brüder verloren. Sie ist mit ihren drei damals kleinen Kindern mit dem letzten Zug aus Ostpreußen herausgekommen. Nach dem Krieg ist dann die ganze Familie nach Irland ausgewandert.

Ferien: am schönsten zu Haus

Der verhältnismäßig bedeutende Altersunter-
schied zu den vier Großen brachte es mit sich, daß
ich mehr mit den gleichaltrigen Lehndorffs zusammen war als mit meinen Geschwistern. Merkwürdig war nur, daß ich diese nächsten Verwandten erst sehr spät kennenlernte. Die Eltern fuhren
wohl gelegentlich nach Preyl zu Besuch, aber auf
die Idee, mich mitzunehmen, waren sie nie
gekommen. Man machte eben damals von Kindern wenig Aufheben.

Ich kann mich auch nicht erinnern, daß wir in
den großen Ferien verreisten. Einmal, gleich nach
dem Ersten Weltkrieg, nahm meine Mutter mich
mit in die Schweiz, wo ihre Schwester lebte. In
Romanshorn mußten wir Station machen; ein
Aufenthalt, der mir unauslöschlich in Erinnerung
geblieben ist, denn dort bekam ich Schokolade
mit Schlagsahne und Torte. Schlagsahne hatte ich
noch nie gegessen, denn zu Haus wurde während
des Krieges mit größter Strenge darauf gesehen,
daß wir im großen und ganzen nicht besser lebten
als die Leute in der Stadt. Der Erfolg jener Aus-
schweifung war fürchterlich: Kaum hatten wir das
elegante Haus der Thiele-Winklers betreten –
schon im Flur –, konnte ich die ungewohnten
Genüsse keine Sekunde länger bei mir behalten.

Ich wäre am liebsten auf der Stelle in den Erdboden versunken, denn es war mir extra aufgetra-
gen worden, mich anständig zu benehmen.

Reisen: einmal war ich zusammen mit den
Großen in Noordwijk im Hotel »Huis ter Duin«.
Ich erinnere mich, daß auf der Rückfahrt im
Eisenbahnabteil alle unbändig lustig waren, weil
es endlich wieder nach Hause ging. Sie schmiede-
ten Pläne, was jeder gleich am ersten Abend tun
werde: Einer wollte auf Schnepfenstrich gehen,
meine älteste Schwester ihre geliebte Stute sat-
teln ... Ich war noch zu klein für solche Pläne und
im übrigen so verbittert über dieses »blöde Hotel«, daß ich mich der allgemeinen Freude nicht
anzuschließen vermochte. Irgend etwas war mir
am letzten Tag bei Tisch verboten worden, darum
hatte ich voller Zorn beim Trinken ein Stück aus
dem hauchdünnen Glas gebissen. Meine Kinderfrau, die wußte, daß eine Tante mir für diese Reise
fünf Mark geschenkt hatte – ich glaube, es war das
erste Geld, das ich je mein eigen nannte –, erklärte
drohend: »Das Glas wirst du selbst bezahlen.« Ich
dachte, mir macht das nichts, ich bin so reich, ich
könnte sechs solcher Gläser kaputtmachen.

Wohl um die Sache dramatisch zu gestalten,
wurde der Kellner zum Maître d'Hotel geschickt,
um zu fragen, was ein neues Glas kostet. Er kam
zurück mit der Nachricht: fünf Mark. Das war ein
Schreck fürs Leben. Ich glaube, dies war der

Grundstein für meine Gleichgültigkeit Geld gegenüber und förderte meine frühe Einsicht, daß es sich nicht lohnt, nach diesem vergänglichen Gut zu streben.

Ferien woanders waren ebenso unbeliebt wie fremde Kinder, die zu Besuch kamen – beides konnten wir leicht entbehren. Wieder zu Haus zu

sein, war schon deshalb so wichtig, weil man nie wußte, was in der Zwischenzeit aus unseren verschiedenen Tieren wurde. Beispielsweise war ein junger Fuchs, den ich mit Mühe einigermaßen gezähmt hatte, weggelaufen, als ich einmal drei Tage im Bett liegen mußte. Er ist nie wiedergekommen, ob er überlebt hat, ist höchst ungewiß, denn ein Tier, das in solcher Weise seinen Artgenossen, sich selbst und seiner Umwelt entfremdet worden ist, kommt draußen schwer zurecht.

Nicht viel glücklicher war das Schicksal eines jungen Rehbocks. Offenbar hatten wildernde Hunde die Mutter gejagt und gerissen. Das Kitz hatten die Waldarbeiter dann halb verhungert gefunden und uns gebracht. Ich zog es mit der Flasche groß, und allmählich war Peterchen so anhänglich geworden, daß er immer hinter mir herlief. Als er einigermaßen ausgewachsen war, bekam er einen großen, eingezäunten Platz oberhalb des Parks zugewiesen. Es war der Begräbnisplatz der Familie mit vielen alten Bäumen.

Er hatte es gut dort, aber als er sein erstes Gehörn »geschoben« hatte, spürte er, mangels eines Rivalen, das dringende Bedürfnis, den Gärtner zu »forkeln«, der meine Mutter vor die Alternative stellte: entweder verkommt alles, oder der Rehbock muß weg. Angesichts solcher Drohung entschied meine Mutter: Peter muß ausgesetzt werden. Trauer im Herzen, zog ich mit ihm in den Wald. Mein Bruder Christoph kam mit, um ihn zu vertreiben. Aber es war hoffnungslos – in großen Sprüngen kam der Rehbock immer wieder zurück und schließlich auch mit uns heim. Er muß zu einem der Förster, lautete die lapidare Entscheidung. Und so geschah es.

Es gab natürlich nicht nur edle Tiere wie Fuchs und Rehbock, sondern auch niedere Geschöpfe wie Kaninchen und Meerschweinchen und Hunde. Vor allem Hunde. Christoph hatte eine geliebte Dackelhündin »Hexe«, die sehr jagdpassioniert war. Mit ihrer Hilfe und der von zwei Artgenossen, die einem der Förster gehörten, wurde manchmal Fuchsgraben veranstaltet. Fuchs und Dachs wohnen gelegentlich im selben Bau. Den Dachs schonte man gern, aber der Fuchs, der Hühnerdieb, galt als Feind und mußte von Zeit zu Zeit bekämpft werden.

Wenn die Hunde in den Bau »geschlieft« sind, hört man sie nach einiger Zeit Laut geben: »Also ist der Fuchs drin.« Sogleich beginnt die doppelte Spannung: Erstens, wird er »springen«, also aus der Röhre ans Tageslicht kommen und von einem der Schützen, die in der Nähe der Ausgänge postiert sind, erlegt werden? Zweitens, werden die Hunde heil wieder herauskommen, denn das ist keineswegs immer gewährleistet. Es kommt vor, daß sie in dem weitverzweigten Bau in eine Sackgasse geraten und nicht mehr zurückkönnen, oder auch, daß der Fuchs sie blockiert. Man hört das an der Art, wie sie bellen, und im Notfall versucht man dann, sie an der Stelle mit Hilfe von Axt und Spaten freizuschaufeln, aber bei dem vielen Wurzelwerk im Walde gelingt das nicht immer; oder, wenn es zu gelingen scheint, stellt sich heraus, daß sie inzwischen schon wieder an einer anderen Stelle sind.

Hunde gab es zu allen Zeiten, aber es waren immer wieder andere. Meine Mutter hatte eine merkwürdige Passion, die Rasse zu wechseln: ungarische Schäferhunde, irische Bobtails, deutsche Doggen ... Die ersten, an die ich mich erinnere, waren Neufundländer, eine ganze Horde, die in einem Zwinger lebte. Als ich – fünfjährig – einmal verbotenerweise die Tür dieses Zwingers öffnete, stürzten sie, endlich befreit, alle zugleich heraus, warfen mich um und sprangen über mich hinweg, wie die Pferde im Rennen über einen gestürzten Reiter. Etwas später gab es Windhunde. Auch von ihnen erinnere ich nur eine unerfreuliche Szene: Aus irgendeinem Grunde waren wir eines Morgens alle aufgebrochen; die Hunde, die neu waren und sich erst eingewöhnen sollten, blieben im Schlafzimmer meiner Mutter zurück. Sie untersuchten natürlich alles und entdeckten eine große Schachtel mit Abführpillen. Die Pillen fanden sie offenbar besonders schmackhaft, weil sie mit einem Schokoladenguß überzogen waren. Keine einzige war übriggeblieben, sie hatten sie alle aufgefressen. Die Folgen fanden wir vor, als wir am Abend zurückkehrten: unvorstellbar.

Die nächste Serie waren Doggen. Der erste dieses Zeichens hieß »Mönch«, ein großer, gelbgestromter, furchterregender Bursche. Er kam in einer riesigen Kiste an, wurde aus seinem Gefängnis befreit und bekam erst einmal im Schlafzimmer meiner Mutter einen Korb als Lager zugewiesen. Als meine Mutter am Abend zu Bett gehen

148

wollte, hatte er bereits darin Platz genommen und verteidigte knurrend und zähnefletschend seine Position. Meiner Mutter blieb nichts anderes übrig, als die Nacht auf dem Sofa zu verbringen.

Hunde waren aber nicht die einzige Passion, auch Hühner der ausgefallensten Rasse wurden angeschafft: Orington, Plumethrocks und andere tauchten nacheinander auf dem von Frau Olschewski betreuten Hühnerhof auf. Die Plumethrocks waren prächtige, grau-schwarz gesprenkelte Hühner. Es gab fünf Hennen und einen Hahn. Sie waren noch nicht lange da, als wir auf den Gedanken kamen, auszuprobieren, was wohl passiert, wenn wir den Hühnern Brot zu fressen geben, das in Alkohol getränkt ist.

Der Effekt war verblüffend. Der stolze Hahn, ein herrliches Exemplar, fand besonderes Gefallen an dieser Speise. Es dauerte nicht lange, da stand er auf einem Bein und krähte ohne Unterlaß. Schließlich mußten wir zum Mittagstisch und konnten die Entwicklung nicht länger verfolgen. Bald war das Ganze auch vergessen. Groß aber war unser Entsetzen, als Frau Olschewski am Abend erschien und meiner Mutter berichtete, sie habe leider den wertvollen Hahn schlachten müssen, weil er plötzlich krank geworden sei. »Wieso denn krank?« – »Er zitterte und torkelte immerfort hin und her.« Wir machten uns schleunigst aus dem Staube.

Manchmal vergrößerte sich unser Trio durch einige der Trakehner Lehndorffs. Der Landstallmeister Graf Siegfried Lehndorff, Chef des Gestüts Trakehnen, hatte fünf Söhne und eine Tochter; die ältesten waren so etwa in unserem Alter. Deren Mutter war übrigens eine Tochter des erzkonservativen Herrn von Oldenburg-Januschau, der politisch und auch als Nachbar Hindenburgs eine gewisse Rolle gespielt hat. Mein Vater schätzte ihn gar nicht, er war ihm zu reaktionär, aber die Leute amüsierten sich sehr über die junkerlichen, oft deftigen Bonmots, die von ihm kursierten: »Die Krippen sind immer dieselben, nur das Rindvieh, das draus frißt, das wechselt«, sagte er im Hinblick auf die Wahlen zum Reichstag. Er war auch der Erfinder des oft zitierten Wortes »vom Leutnant und zehn Mann«. Er hatte vor dem Ersten Weltkrieg im Reichstag erklärt: »Der König von Preußen und Kaiser von Deutschland muß jeden Moment imstande sein, zu einem Leutnant zu sagen: ›Nehmen Sie zehn Mann und schließen Sie den Reichstag.‹«

Die gelegentliche Zusammenrottung mit den vielen Lehndorffs bot große Möglichkeiten zu neuen Unternehmungen: Verstecken im Dunkeln durchs ganze Haus in Preyl war höchst beliebt.

Sehr aufregend auch das Ausnehmen von Krähennestern: Man mußte auf Kiefern steigen, die meist bis hoch hinauf astlos waren, so daß wir nur mit Hilfe von Steigeisen hinaufkamen, wie die Angestellten der Post sie benutzen, um auf die Telefonmaste zu steigen.

Natürlich spielten Pferde nun eine noch größere Rolle als zuvor, denn nun brachten wir gelegentlich einen Teil der Ferien auch in Trakehnen zu. Das berühmte Gestüt war 1732 von Friedrich Wilhelm I., dem Vater Friedrichs des Großen, gegründet worden. Es beherbergte schon damals über tausend Pferde, darunter fünfhundert Mutterstuten, denn der König hatte die Bestände der vielen »Stutereien«, die überall in Ostpreußen verstreut waren, zusammengezogen und sie in Trakehnen untergebracht.

Mit den Jahren war immer mehr Areal dazugekommen, so daß Trakehnen zu unserer Zeit etwa sechstausend Hektar groß war und dreihundertfünfzig ausgewählte Mutterstuten besaß, die nach Farben in Herden eingeteilt wurden: Füchse, Schwarzbraune, Rappen und eine gemischte Herde.

Pferden hatte schon immer meine Liebe gegolten, aber in Trakehnen lernte ich sie als ein dem Menschen ebenbürtiges Geschöpf kennen. Jeder der zwanzig Hauptbeschäler lebte in einem eigenen Pavillon mit dem dazugehörigen Auslauf und wurde als individuelle Persönlichkeit behandelt. Ihr Stammbaum ging, nicht anders als der der im »Gotha« verzeichneten Adligen, weit zurück in ferne Jahrhunderte. Einer von ihnen, der Hengst »Tempelhüter«, erhielt schon zu Lebzeiten ein Bronzedenkmal in Lebensgröße, das in Trakehnen vor dem Amtssitz von Onkel Siegfried Lehndorff stand. Die Russen haben es nach Moskau geholt, wo es heute vor einem landwirtschaftlichen Institut Aufstellung gefunden hat.

Mir hat zu unserer Zeit ein anderer Hengst besonderen Eindruck gemacht. Er hieß »Master Magpie« und zeichnete sich dadurch aus, daß er einen Maulkorb tragen mußte, weil er so nervös war, daß er sich selber Stücke aus dem Fell biß: überall am Körper hatte er inzwischen verheilte, aber haarlose Stellen. Legendär erschienen mir auch die beiden Schimmelhengste: »Cancara«, der, als er in seinem Auslauf herumwanderte und eines Tages die Meutehunde erblickte, die hinter einer Schleppjagd herjagten, über den ein Meter achtzig hohen Koppelzaun sprang, um sich dem Feld der galoppierenden Pferde anzuschließen. Von seinem Großvater »Nana Sahib« berichtet nicht die Legende, sondern das Buch des Oberlandstallmeisters – daß er die zwei Meter hohe Mauer, die ihn einfriedigen sollte, übersprang, so daß sie erhöht werden mußte.

Trakehnen war unglaublich eindrucksvoll:

eine herrliche Landschaft, alte Alleen, weiß gestrichene Koppelzäune, grüne Weiden und edle Pferde, so weit das Auge schweifte. Wer einmal eine Reitjagd dort erlebt hat, wer mit angesehen hat, wie passioniert und mit welchem Schwung die Pferde über die vielen Hindernisse gingen, der wird diesen Anblick gewiß nicht vergessen.

Ein typischer ostpreußischer Sommernachmittag.

Von den damals sieben jungen Lehndorffs hat nur einer den Krieg überlebt, der Arzt Hans Lehndorff, Verfasser des einzigartigen »Ostpreußischen Tagebuchs«. Seine Brüder sind gefallen, der jüngste mit neunzehn; der älteste, der damals – weil drei der Brüder gefallen waren – vom Frontdienst zurückgestellt worden war, ist beim Einmarsch von den Russen erschossen worden, zusammen mit seiner Mutter, die gerade aus einem Nazigefängnis befreit worden war. Heini Lehndorff, der Vetter aus Preyl, ist, wie berichtet, nach dem 20. Juli 1944 in Plötzensee hingerichtet worden; sein einziger Bruder fiel kurz vor seinem fünfundzwanzigsten Geburtstag in Rußland. Hitlers Krieg hat unter den Familien im Osten erbarmungslos gewütet. Die beiden Söhne meiner ältesten Schwester, noch nicht zwanzig, und der einzige Sohn meiner anderen Schwester, gerade erst zwanzig, sie alle sind im Osten gefallen.

Damals aber, in Friedrichstein, Preyl oder Trakehnen, waren wir alle noch fröhliche, junge Leute, ritten oder jagten zusammen und hatten gemeinsam Tanzstunde in Preyl, zu der ein Tanzlehrer aus der Stadt kam. Aber es war nicht nur lustig. Strenge waltete stets, und Strafe folgte auf dem Fuß. Ich wurde einmal schwer gestraft, indem ich zu dem ersten Film meines Lebens, dem ich mit großer Erwartung entgegengesehen hatte, nicht mitgehen durfte. Als große Ausnahme

154

sollten damals alle Kinder unter der Aufsicht einer Hauslehrerin nach Königsberg fahren, um einen zu jener Zeit sehr berühmten Film zu sehen.

Ich hatte am Abend zuvor beim Versteckspielen Heini Lehndorff im Eiskeller – wohin er sich geflüchtet hatte – eingeschlossen, indem ich den Riegel von außen vorschob. Das war natürlich ohne viel Nachdenken geschehen, und ebenso gedankenlos hatte ich ihn dort vergessen. Durch seinen Lärm herbeigerufen, hatte ihn ein guter Geist ziemlich erfroren befreit.

Natürlich hatte sich die Kunde durch den guten Geist verbreitet, nicht durch Heini Lehndorff – das wäre ganz gegen den Ehrenkodex gewesen. Und natürlich akzeptierte ich die drakonische Strafe mit gespielter Gleichgültigkeit, auch dies ein ungeschriebenes Gesetz: Betteln wäre würdelos gewesen.

Der fragliche Eiskeller, neben der Küche gelegen, war übrigens nach dem neuesten Stand der Technik konstruiert. Ein großer, fensterloser, gekachelter Raum, der Platz bot für ein Rind, mehrere Stücke Wild und für die Dinge, die auf Regalen abgestellt wurden. Daneben, nur durch ein Eisengitter getrennt, befand sich jenes dunkle Gelaß für Eis, das stets bis zur Höhe des Eisengitters mit Eisblöcken aus dem bereits beschriebenen Keller aufgefüllt wurde.

Der Ortswechsel Friedrichstein/Preyl brachte es mit sich, daß wir jeweils anderen Autoritäten unterstanden, was uns früh mit der Relativität von Autorität vertraut machte. In Preyl waren ganz andere Dinge verboten als in Friedrichstein. In Preyl durften wir beispielsweise die Küche nicht betreten und zwischen den Mahlzeiten nichts essen. Darum klauten wir im Hühnerstall Eier, in der Vorratskammer Zucker und stellten in einem alten Ofen, der sich in einem verlassenen Raum der Gärtnerei befand, Baisers her. Wir hatten erkannt, daß man sich zufälligen Verboten gegenüber opportunistisch verhalten müsse; es genüge, meinten wir, wenn man die Grundsätze beherzige, deren dauernden Wert wir selber eingesehen hatten.

Wie schon erwähnt, war jeden Morgen Andacht in Friedrichstein: alle Mädchen, Fräulein Schikor und Fräulein Quednau, der Diener Fritz und ein Junge, den er zur Hilfe hatte, waren anwesend. Wer von uns zu Hause war, mußte erscheinen. Das war selbstverständlich und wäre von uns nie in Frage gestellt worden, denn es war einzusehen, daß dies dazugehörte. Auch der Kirchgang am Sonntag war Pflicht. Alle gingen die lange, alte Lindenallee bis Löwenhagen zu

Fuß, auch die Eltern, denn natürlich durfte am Sonntag der Kutscher nicht bemüht werden. Sie starteten als erste rechtzeitig, dann folgten nach einiger Zeit in ungeordneter Hast die Kleinen und am Schluß die Großen, die sich, um noch rechtzeitig anzukommen, auf Fahrräder schwangen. Da dies verboten war – weil man gesittet gehen sollte –, versteckten sie sie vor dem Dorf Löwenhagen im Gebüsch.

Der Pfarrer, der in Löwenhagen wohnte und an dessen Haus man vorbei kam, wenn zum Bahnhof gefahren wurde, mußte ehrerbietig gegrüßt werden. Oft saß er am Fenster und machte seine Predigt; dann verneigten wir uns, egal ob er aufblickte oder nicht. An Werktagen konnte er meist gar nicht umhin, den herrschaftlichen Wagen wahrzunehmen, denn auf dem Kopfsteinpflaster hörte sich ein gefederter, rasch dahineilender Wagen ganz anders an als die Bauerngefährte. Dieser Ton, in der Kindheit so oft vernommen, hat sich mir fürs Leben eingeprägt. Genauso wie jenes andere Geräusch: wenn Grenda beim Vorfahren vor dem Schloß die Pferde zur Eile antrieb und dann mit großem Schwung die Kurve nahm, so daß der Kies mit hellem Klang gegen die Speichen spritzte.

Kutschwagen gab es jede Menge, auch sie wohl ein Requisit, dem höfischen Beispiel nachgeahmt. Sie waren aufgereiht in einer langen

Wagenremise. Da standen Einspänner und Zweispänner aller Größen und verschiedener Eleganz, Jagdwagen und ein Coupé. Letzteres wurde bei Begräbnissen und für Kranke benutzt – im normalen Leben nur, wenn »Seine Exzellenz« oder »Ihre Exzellenz«, wie die Leute sagten, bei sehr schlechtem Wetter irgendwohin reisen mußten.

Grenda, der viel Sinn für Dramatik hatte, hat mir mehrfach als seine Rekord- und Glanzleistung geschildert, wie er bei meiner Geburt den Doktor aus Königsberg hatte holen müssen. Ich bin, wie alle meine Geschwister, zu Haus in Friedrichstein zur Welt gekommen. In diesem Fall, so der Bericht, »kam Seine Exzellenz und sagte: ›Es geht los, spann an, fahr so schnell du kannst, auch wenn's die Pferde kostet.‹« Die Entfernung nach Königsberg betrug zwanzig Kilometer, Grenda behauptete, in drei Stunden mit Professor Unterberger wieder zurück gewesen zu sein.

Zu den Pflichten gehörte selbstverständlich, daß wir unsere Tiere – Hunde und Kaninchen – selber versorgten und alle Unordnung, die dabei angerichtet wurde, auch wieder beseitigten. Der Sinn für Hilfsbereitschaft wurde uns so intensiv eingeimpft, daß ich noch heute den Reflex verspüre, aufspringen zu wollen, wenn irgend jemandem etwas herunterfällt oder wenn ein Passant Hilfe braucht.

Die Regel war, daß wir stets zuerst grüßten, nicht nur den Pfarrer und den Kantor, der alltags in der Dorfschule unterrichtete und am Sonntag in der Kirche die Orgel spielte – übrigens war die Ehrerbietung, die ihm gezollt wurde, um einige Nuancen geringer als die für den Pfarrer –, sondern auch die Arbeiter. Das hätten wir freilich ohnehin getan, denn wir kannten ja alle, und viele waren gute Freunde, beispielsweise die Gespannführer.

Sie erlaubten mir bei der Ernte das Weiterfahren von Hocke zu Hocke. Alle Wagen wurden »viererlang« gefahren, vom Sattel aus. Da saß ich dann ganz stolz im Sattel auf dem linken Hinterpferd und mußte achtgeben, daß die Vorderpferde sich nicht in den Sielen und Leinen verfingen und auf Zuruf vorrückten zur nächsten Hocke. Aber wehe, wenn ich nicht aufgepaßt hatte. Dann wurde gewaltig geflucht, und ich durfte ein paar Tage nicht erscheinen. Verschiedenes guckten wir diesen strengen Lehrmeistern ab: Bogenspucken zum Beispiel. Wir konnten es alle, ich brachte es auf vier Meter; nur mit der Viererzug-Peitsche knallen, das schaffte ich nicht. Dafür konnte ich, worum die Geschwister mich sehr beneideten, auf den Fingern pfeifen. Sie rächten sich, indem sie verbreiteten, ich hätte diese Kunst auf Grendas Fingern erlernt.

Fast jede Generation hatte ihre Spuren im Schloß hinterlassen, nur ein Raum, der im oberen Stockwerk gerade über dem großen Gartensaal lag, war nie beendet, ja nicht einmal verputzt worden. Er befand sich noch im Zustand des Rohbaus und hieß deshalb der »wüste Saal«. Dort hatten die verschiedenen Generationen Möbel und vor allem Kisten abgestellt, mit Dingen, die sie gerade nicht brauchten oder die sie gesammelt hatten, deren Sammlung aber nie abgeschlossen worden war. Wir Kinder genossen es, dort herumzustöbern.

Viel später, als ich erwachsen war und an meiner Doktorarbeit schrieb, war der »wüste Saal« für mich eine Fundgrube, denn dort entdeckte ich viele Dokumente, die für mein Thema wichtig waren. Die Aufgabe dieser Arbeit war es, zu untersuchen, wie ein so großer Besitz eigentlich entstanden ist, und zwar, wie der Untertitel lautete: »Von der Ordenszeit bis zur Bauernbefreiung«. Ich fand dort unter anderem die Kassenbücher der Hauptverwaltung, die seit 1790 lückenlos erhalten geblieben waren, sowie höchst interessante Tagebücher meines Urgroßvaters von 1790 bis 1815 in französischer Sprache. Sie deckten mithin die »Franzosenzeit« und die Freiheitskriege ab sowie seine Verhandlungen mit Napoleon über die Kriegskontribution. Das ganze Material ist mitsamt dem Archiv verbrannt.

Wann also und auf welche Weise sind jene großen Besitze im Osten entstanden? Als die Ordensritter im 13. Jahrhundert die Weichsel überschritten hatten und sich in den riesigen Wäldern des Ostens ansiedelten, war die Landesverteidigung ihre Hauptsorge. Ein stehendes Heer konnte der Orden sich nicht leisten, darum knüpfte er an den Besitz von Grund und Boden die Verpflichtung zum Ritterdienst und schuf damit eine Klasse, die über großes Areal verfügte und dafür Kriegsdienst leisten mußte. Und zwar verlangte der Orden für jeweils vierzig Hufen (eine Hufe gleich siebzehn Hektar) einen schweren Reiterdienst, das heißt, wer vierzig Hufen hatte, mußte vollgepanzert mit schweren Waffen und »einem bedeckten, der Rüstung angemessenen Rosse, begleitet von zwei anderen Reitern«, Dienst leisten. Bei weniger als vierzig Hufen Besitz waren nur leichte Waffen und ein Pferd vorgeschrieben.

Während sich der Orden in den ersten Jahrhunderten das Eigentum an Grund und Boden vorbehielt und die Güter nur als Lehen vergab, waren in späterer Zeit bei schlechter Wirtschaftslage die Rückstände an Söldnerführer und andere Gläubiger zu solch riesigen Summen aufgelaufen, daß er dazu übergehen mußte, sie ihnen zur

161

Befriedigung jener Forderungen zu überlassen. So begann die zweite Epoche, in der der Orden sich genötigt sah, Güter zu verkaufen oder gegen Bargeld zu verpfänden und damit den privaten Besitz zu vergrößern.

Der erste Dönhoff, der von Livland kommend sich 1620 in Ostpreußen niederließ, war Magnus Ernst. Er war als polnischer Gesandter an den Höfen von Sachsen und Brandenburg nach Deutschland zurückgekommen und hatte am Pregel das Kammeramt Waldau pfandweise erworben. Sein Sohn Friedrich kaufte 1666 zum Preis von 25.000 Talern den Grundstock der Friedrichsteiner Güter »mit aller und jeder Zubehör und Nutzung, allen Rechten und Gerechtigkeiten, Jurisdiktionen, großen und kleinen, auch Straßengerichten, item anderen Herrlichkeiten, Jagden und Fischereien, Krug und Kruggerechtigkeiten, Mühlen und Mühlenstätten...«

In den nächsten Jahrzehnten wurden von ihm weitere Güter gegen Barzahlung erworben. Daß bar gezahlt werden konnte, war offenbar darauf zurückzuführen, daß die Bodenpreise entsprechend den geringen Erträgen extrem niedrig waren, während Staatsstellungen verhältnismäßig hoch dotiert wurden. So geht aus einer Aufstellung von Friedrich Dönhoff für die Jahre 1691 bis 1695 hervor, daß die Einnahmen aus seiner Stellung als Amtshauptmann und Gouverneur der Festung Memel etwa die gleichen waren wie die aus den 4.250 Hektar großen Friedrichsteiner Gütern – sie beliefen sich in beiden Fällen für diese fünf Jahre auf rund 27.000 Taler.

Übrigens waren Pfandverträge für die Gläubiger gewöhnlich sehr ungünstig, weil der Pfandgeber, wenn er nach dreißig Jahren das Pfand wieder einlösen wollte, dem Pfandnehmer alle während jener Zeit getätigten Aufwendungen ersetzen mußte, wozu er meist gar nicht in der Lage war. Vereinbarungen über Zinsen gab es nicht, weil man von der Vorstellung ausging, daß die Nutzung eines Pfandobjekts in jedem Fall der Nutzung des geliehenen Kapitals entspreche – eine Auffassung, die aus dem naturalwirtschaftlichen Denken jener Zeit hervorging.

Die Pfandübertragung ist die typische Form der Kreditfundierung, die das ganze Mittelalter beherrscht und bis weit in die Neuzeit hineinreicht. Als beispielsweise die Stadt Bern Anfang des 18. Jahrhunderts Österreich eine Anleihe gewährte, wurde über die Verpfändung der österreichischen »Vorlande« nebst allen »Hoheitsrechten« verhandelt sowie über die sofortige Übertragung des Pfandes an den Gläubiger. Und noch im Jahr 1768 mußte die Republik Genua dem französischen Staat die Insel Korsika zum Pfandbesitz überlassen.

Fünfzig Jahre nach Friedrich Dönhoff, unter

seinem Enkel, wurden 1747 die angrenzenden Güter Borchersdorf und Weißenstein dazu erworben, zunächst pfandweise, aber nach dreißig Jahren gingen sie in das Eigentum des Besitzers von Friedrichstein über. In einer Chronik der Zeit heißt es: »Da beide Güter an der Landstraße liegen, haben sie sehr unter den Kriegswirren gelitten und sind zum größten Teil verwüstet.« Von Weißenstein heißt es: »Von dreizehn Bauern sind nur noch vier auf ihren Höfen, und davon nur noch zwei leidlich im Stande.« Der dritte ist in der Kriegszeit geflohen, dann aber wiedergekommen, sein abgebrannter Hof wird nur noch auf achtzig Mark geschätzt. Der vierte Bauer hat nichts mehr, »ist im Kriegswesen davongelaufen und hat sich in der alten Stadt Königsberg aufgehalten, von dort aber wiedergeholet und aufs Erb gesetzt.« Die übrigen neun Höfe sind wüst; bei vier von ihnen heißt es, daß von den Gebäuden nichts mehr vorhanden ist als »etzliche alte Balken und Stücken Brennholz«. Ihr Wert wird auf zwanzig Mark geschätzt. »Von den übrigen fünf Erben ist an Gebäuden gar nichts mehr erhalten.«

Von allen Gütern, die im Laufe von hundert Jahren gekauft wurden und die zusammen den Besitz Friedrichstein bildeten, war nur eines in »hervorragendem Zustand«: Barthen. Für alle anderen war der Grund zum Verkauf stets ihre hohe Verschuldung und die schlechte wirtschaft-

liche Lage, die in den meisten Fällen auf kriegerische Verwüstungen durch Russen, Polen oder
Schweden zurückgingen. Nur wer wie Otto-
Magnus Dönhoff – der in den ersten Jahren des
18. Jahrhunderts das Schloß erbaute – hohe Staats-
ämter bekleidete, konnte es sich leisten, derart
verwahrloste Güter zu erwerben und sie instand
zu setzen.

Otto-Magnus war Erster Gesandter am
Deutschen Kaiserhof, Geheimer Staats- und
Kriegsminister, Preußischer Ambassadeur beim
Friedenskongreß zu Utrecht, Generalleutnant
und Gouverneur zu Memel. Als er 1713 das zweitausend Hektar große Gut Hohenhagen erwarb,
waren alle Gebäude baufällig, die meisten Leute
weggezogen, es gab kaum noch Vieh; »der Wald
war ausgehauen und ruinieret, der Acker aus der
Kultur und Düngung«.

Als besonders verdienstvolle Tat unter den
von ihm eingeführten Verbesserungen wird
erwähnt, daß er im Stall einen Brunnen bauen
ließ, von dem aus man das Wasser in die Tränkrin-
nen leiten konnte, so daß man die Kühe im Winter
nicht mehr an den vereisten Teich zu treiben
brauchte.

Man macht sich gar keine Vorstellung davon,
wie primitiv um diese Zeit auf dem Lande gewirt-
schaftet wurde. Einen gewissen Begriff davon gibt
der Auszug aus einer Chronik des 18. Jahrhun-

derts, die eine in Hohenhagen aufgestellte Häckselmaschine als das Meisterwerk moderner Technik preist. Es heißt dort: »Ein solches Werk war vor diesem in ganz Preußen noch nie gesehen worden, auch kein Künstler hier im Lande anzutreffen, der eine solche Häckselmühle anzugeben imstande war, derohalben ließ Graf Friedrich Dönhoff aus Berlin einen ihm bekannten Mühlebaumeister namens Rammin anhero kommen, welcher mit dem Friedrichsteiner Müller Krebs, den er dazu anleitete, im Jahr 1750 im Friedrichsteiner Krug die hölzernen Stücke dazu anfertigte. Das Eisenwerk davon ward bei dem geschicktesten Schmiede in Königsberg bestellt, nachgehend mit dem Holzwerk zusammen nach Hohenhagen gebracht und allda mit der dort vorhandenen Roßmühle verbunden.«

Es folgt dann eine umständliche Beschreibung der Mechanik: »Die Mühle wird von zweien Pferden in der untersten Etage gezogen, in der obersten Etage stehet die Lade, wovon das Messer mit einem Schnitt jedesmal zwölf Zoll dick aufeinander gepresstes Stroh durchschneiden kann. Es werden zwei Personen dazu gebrauchet, wovon der eine unten die Pferde im Kreise treibet, der andere in der oberen Etage das Stroh, so oft es sich in der Lade vermindert, nur von neuem einlegen darf. Die Schnitte folgen sehr geschwinde aufeinander und der beschnittene Häcksel fällt durch ein hierzu bereitetes Loch in eine aparte Häckselkammer.«

Die Freude des Chronisten über dieses Werk ist begreiflich, wenn man weiterhin hört, daß bisher auf jedem Vorwerk ein paar Knechte von morgens bis abends damit beschäftigt waren, das Stroh zu Häcksel zu schneiden, und diese nun, nachdem der gesamte Häckselbedarf aller Vorwerke in Hohenhagen befriedigt wurde, zu anderer Arbeit verwandt werden konnten. Die Kosten dieses Wunderwerks beliefen sich auf zweihundert Taler.

Noch lange Zeit war das Leben auf dem Lande einfach und der Zuschnitt sehr bescheiden. Achtzig Jahre nach Erfindung jener Häckselmaschine, 1830, weist das Budget des Enkels von Friedrich Dönhoff als Einnahme 34.997 Taler aus, denen Ausgaben von 33.946 Talern gegenüberstehen. Der größte Posten unter den Ausgaben betrifft »zurückgezahlte Capitalien« mit 17.733 Talern; der nächste Erziehung und Unterhalt der sieben Kinder 5.408, ferner »Zinszahlungen an meine Familie 4.018 und Zinsen für aufgenommene Capitalien 4.998 Taler«. Alles andere sind minimale Beträge, beispielsweise »persönliche Ausgaben« (Kleider, Bücher, Reisen, Geschenke, Trinkgelder, Wein, Porto und ähnliches) 373 Taler. »Zur Bestreitung des Haushalts« (Gewürze, Reis, Zucker, Salz, Heringe, Seife,

Licht, Bekleidung der Leute) wurden 224 Taler verwendet.

Für den Eigentümer eines sechstausend Hektar großen Besitzes ist dies wahrlich nicht sonderlich üppig. Allerdings hatte der allgemeine Zustand der Wirtschaft noch immer unter den Nachwehen der Napoleonischen Kriege zu leiden. Damals mußten einhundertfünfzig Millionen Taler Kriegskontribution an Frankreich bezahlt werden – eine zu jener Zeit unvorstellbar große Summe.

Ostpreußen hat es zu allen Zeiten schwer gehabt: Hundert Jahre zuvor, zwischen 1708 und 1711, hatte die Pest Ostpreußen entvölkert; man schätzt, daß 250.000 Menschen – bei einer Gesamtbevölkerung von 600.000 also fast die Hälfte – in diesen wenigen Jahren den Tod fanden. Dies war auch der Grund, warum jahrzehntelang immer wieder über verlassene Bauernhöfe und fehlende Arbeitskräfte geklagt wurde.

In den Jahren 1756/63, während des Siebenjährigen Krieges, waren durch viele Einquartierungen und infolge durchziehender Truppen alle Bestände und Vorräte, häufig auch Vieh und Pferde, requiriert worden. In den Berichten heißt es: »1757, nach der verlorenen Schlacht von Großjägersdorf (bei Wehlau), hatte sich die preußische Armee in westlicher Richtung zurückgezogen und in den Friedrichsteiner Gütern während acht Tagen ihr Lager aufgeschlagen – der dadurch entstandene Schaden wird auf viertausend Taler geschätzt. Kurz darauf schlug eine Brigade der kaiserlich-russischen Armee ihr Hauptquartier in Friedrichstein und den umliegenden Ortschaften auf. Im Frühjahr 1759 erschien die russische Armee abermals, und zwei Regimenter wurden während vieler Wochen in den hiesigen Gütern repartiert. Als die Armee dann endlich abrückte, wurden die Gutswirtschaft und die Bauern gezwungen, Fourage- und Proviantfuhren zu leisten und die Armee während vieler Wochen zu begleiten. Noch im August 1761 sind fünfzehn zweispännige Wagen mit Proviant und Transporten über Kulm nach Posen und Schlesien geschickt worden und zum Teil über vier Monate unterwegs gewesen.«

Ein alter Ziehbrunnen in Hohenhagen.

In einem Bericht des Grafen Dönhoff an den König vom 20. September 1757 schildert dieser den »considerablen Schaden«, der seinen Gütern durch das Plündern und Marodieren der Armee zugefügt worden sei, besonders durch das Verhalten der schwarzen Husaren, die in einigen Dörfern schwer gehaust haben: »Alle Türen erbrochen, die Leute verprügelt, gestohlen, die Gebäude zum Teil mutwillig demoliert und die Vorräte einschließlich Saatgut requirieret.«

Die Güter im Osten waren eine Mischform von Gutsbetrieb, den der Eigentümer selbst bewirtschaftete, oft Vorwerk genannt, und von zinszahlenden Bauern, die auf Gutsland saßen. Der Betrieb bestand also aus dem Vorwerk, das eigene, festangestellte Leute hatte, und dem sogenannten Dorf, worunter man die Zusammenfassung der Bauern, Handwerker und Instleute verstand – dazu gehörte meist als sozialer Mittelpunkt ein Krug. Die Bauern mußten acht bis vierzehn Tage im Jahr den sogenannten Scharwerkdienst auf dem Gut leisten. Sie hatten gewöhnlich zwei bis drei Huben gegen Zins in Erbpacht; der Zins betrug während des 18. Jahrhunderts etwa zehn bis zwanzig Taler je Hube. Die Spezialisierung unter den Handwerkern war weit größer, als man es sich heute vorstellen kann; aus den Lohntabellen, die ich in den Rechnungsbüchern fand, ergeben sich folgende Differenzierungen:

Maurer	Nagelschmied
Zimmermann	Kupferschmied
Brettschneider	Klempner
Stellmacher	Kürschner
Schirr- und Rademacher	Sattler
Böttcher	Riemer
Tischler	Weißgerber
Glaser	Seiler
Pumpenbohrer	Bürstenmacher
Ziegler	Leinweber
Töpfer	Schuster
Hufschmied	Strohdecker
Grobschmied	Schornsteinfeger

Erstaunlich erscheint mir, daß Georg Friedrich Knapp mit seinem berühmten Buch »Die Bauern-befreiung und der Ursprung der Landarbeiter in den älteren Teilen Preußens«, Leipzig 1887, hundert Jahre lang die Wissenschaft mit seiner Theorie beherrschen konnte, die großen Güter seien durch »Bauern-Legen« entstanden; wahrscheinlich war das nur möglich, weil diese Ansicht den Vorurteilen vieler Leute entsprach. Richtig ist, daß durch das Edikt vom Oktober 1807, welches allen Bauern die Freiheit verschaffte, die Masse der Kleinstbauern, die den Rückhalt an der Gutsherrschaft verlor, zu Landarbeitern deklassiert wurde; aber das Interesse der Gutsbesitzer war nicht auf mehr Land gerichtet, sondern darauf, möglichst viele zinszahlende Bauern zu erhalten. Das Edikt lautete: »Mit dem Martini-Tag 1810 hört alle Gutsuntertänigkeit in unseren sämtlichen Staaten auf. Nach dem Martini-Tag 1810 gibt es nur noch freie Leute.«

Das klang gut, aber in der Durchführung lag auch damals die Schwierigkeit: Abwicklung und Entschädigung zogen sich über Jahre hin, viele Bauern verschuldeten sich, bei Wirtschaftskatastrophen half die Gutsherrschaft nicht mehr aus wie bisher; mancher Bauer machte Bankrott und war froh, wenn die Gutsherrschaft sein Land übernahm und ihn auszahlte.

Vor dem Edikt war den Gutsherren gar nichts anderes übriggeblieben, als in Notfällen Hilfsaktionen, unter Umständen auch großen Ausmaßes, durchzuführen. In dem Bericht, in dem Dönhoff von dem »considerablen Schaden« spricht, der in den Friedrichsteiner Gütern entstanden ist, schildert er, wie sehr auch seine im Kreise Wehlau gelegenen Eyserwagenschen Güter gelitten haben; so sehr, daß er sich genötigt sah, den Untertanen für bares Geld aus den Speichern von Königsberg und Wehlau Saat und Brotgetreide zu kaufen, damit sie bis zur nächsten Ernte überlebten. »Welcher Schaden nachher bei gerichtlicher Untersuchung über 22.000 Taler betrug. Um aber die Eyserwagenschen Bauerndörfer mit neuem Inventar zu besetzen, in dem von dreißig dortigen Wirten nur einige ein Pferd und viele gar nichts behalten, ließ ich durch verschiedene Juden und Entrepreneurs aus Polen soviel Vorwerk und Bauernpferde vor bares Geld erkaufen, als es nötig war, einen jeden Wirt mit vier Stück zum Anfang unter die Arme zu greifen, zugleich den Vorwerksbetrieb wieder in Gang zu bringen und auch die sämtlichen ruinierten Gebäude hiernechst teils ausbessern, teils von Grund aus neu erbauen zu lassen.«

Ein typisches altes Bauernhaus in der Pregelniederung.

Dies als »Bauernlegen« zu bezeichnen, ist einfach irreführend.

Noch aus einem anderen Grund war die Bauernbefreiung nicht so befreiend wie das Edikt der Reformer verheißen hatte: Viele Vorrechte der Gutsherren blieben aus Gründen der Gewohnheit bestehen oder wurden durch eine rigorose Gemeindeordnung und ein Landarbeitergesetz von neuem begründet. Das Gesetz wurde in den fünfziger Jahren des vorigen Jahrhunderts erlassen und behielt bis zum Ende des Ersten Weltkriegs seine Gültigkeit. Die Gutsbezirke blieben überdies als Verwaltungseinheiten bestehen, was den Gutsherren praktisch die Fortsetzung eines Teils der Feudalherrschaft sicherte, denn in ihrer Person war weiterhin die Selbstverwaltung in ihrem Bezirk verkörpert. Sie waren es, die dort die Polizeigewalt ausübten.

Knapp hatte deduziert, daß die großen Güter des Ostens nur entstehen konnten, weil Bauern in großem Stil »gelegt« worden seien. Er war an die Grundherrschaft des Westens gewöhnt und konnte sich offenbar nicht vorstellen, daß es im Osten vom Anbeginn an eine Gutswirtschaft gab. Er wollte nicht glauben, daß der Großgrundbesitz im Osten nicht durch das »Legen« einzelner Bauernhöfe entstand, sondern durch das Aneinanderreihen kleiner und mittlerer Rittergüter, die ihrerseits aus einer Gutswirtschaft

und einem Sektor bäuerlicher Wirtschaften be-
standen.

Im Gegensatz zu dieser Theorie hat der Besitzer von Friedrichstein Anfang des 17. Jahrhunderts neun neue Dörfer im Pregeltal gegründet,
auf denen siebenundsiebzig Bauern mit zusammen etwa tausend Hektar als »Freiholländer«
angesetzt worden sind. Sie waren freie Bauern, zu
keinem Scharwerk verpflichtet; die ersten vier
Jahre, in denen sie das zum Teil sumpfige Land
kultivieren mußten, blieben sie frei von Pacht-
zins, für die nächsten sieben Jahre zahlten sie pro
Morgen (vier Morgen gleich ein Hektar) zwanzig
Groschen, danach einen Gulden.

Unter den Dokumenten, die meine Doktorarbeit zutage förderte, befand sich auch ein Koffer mit Hunderten von Zetteln und Archivnotizen über den polnischen Zweig der Dönhoffs, der Ende des 18. Jahrhunderts ausstarb. Im Jahre 1791 sind die letzten beiden Frauen Dönhoffscher Abstammung in Polen gestorben. Offenbar hatte mein Großvater einen Sachkundigen beauftragt, Forschungen anzustellen mit der Absicht, dieses wertvolle Rohmaterial später einmal auszuwerten. 1945 ist es unbearbeitet mitsamt dem Archiv verbrannt.

Lange, ehe ich mich mit jener Doktorarbeit beschäftigte, schon als Kind, hatte ich neugierig die Porträts betrachtet und die seltsamen Namen buchstabiert, die in einem großen goldenen Rahmen zu sehen waren, welcher auf einem Tisch im Gartensaal in Friedrichstein stand. Auf den abgeschabten, bräunlichen Samt war eine Reihe von Miniaturen geheftet. Da sah man Ludwig XV. von Frankreich und seine Gemahlin Maria Lesczynska, die Tochter des polnischen Königs Stanislaus Lesczynski; ferner zwei Porträts, die Gerhard Dönhoff, geboren 1590, Oberhofmeister in Polen, und seine Frau, Prinzession Sibylle von Brieg und Liegnitz, darstellten. Sie waren die

177

Großeltern von Stanislaus Lesczynski. Die Frage aber, wie eigentlich aus deutschen Dönhoffs polnische Dönhoffs geworden sind, konnte ich erst aufklären, nachdem ich jenen Koffer und einige Kisten im »wüsten Saal« durchforscht hatte:

In dem nordosteuropäischen Raum zwischen Weichsel und Peipussee, wo Deutsche, Polen, Russen, Schweden und Dänen jahrhundertelang miteinander gelebt und gegeneinander gekämpft, Bündnisse geschlossen oder sich gegenseitig umgebracht hatten und wo – je nachdem, wer gerade wen unterworfen hatte – bald der eine, bald der andere die Oberherrschaft ausübte, war meine Familie, aus dem Westen Deutschlands kommend, 1330 eingewandert. Über Jahrhunderte hielten sie an ihrer neuen Heimat fest, gleichgültig, wer dort gerade die oberste Herrschaft ausübte: der Orden, die Kirche, die Polen, Schweden, Russen oder Preußen.

Die Dönhoffs, die schon im Mittelalter ihre alte westfälische Heimat, den Dunehof an der Ruhr, verlassen hatten, um nach Osten zu ziehen, waren zunächst über ihre spätere Heimat Ostpreußen hinaus nach Livland gegangen und von dort aus um 1620 nach Preußen eingewandert. Der erste, der 1330 mit dem Schwertritterorden nach Osten kam, war der Ritter Hermanus Dönhoff, der eine Pappenheim zur Frau hatte. Er errichtete in Livland, und zwar am Muhsfluß, also südlich

Stanislaus Ernst Dönhoff (1673-1728), Feldherr in Litauen, Woiwode in Plock.

Magnus Ernst Dönhoff, Woiwode von Pernau.

von Riga, einen zweiten Dunehof und wurde zum
Stammvater eines neuen Zweiges der Familie, der
achtzehn Generationen lang im Raum zwischen
der Weichsel und dem Peipussee gelebt hat: in
Livland bis zum Tod der letzten polnischen Dönhoffs, in Ostpreußen bis zum Einbruch der Russen
im Januar 1945.

Der Schwertritterorden, zu dem der Ritter Hermanus sich offenbar mehr hingezogen fühlte als zum Deutschen Orden, der ihn gleich in Preußen seßhaft gemacht hätte, herrschte dreihundertfünfzig Jahre in Livland; 1567 mußte der letzte Ordensmeister Gotthard von Kettler vor den Polen die Unterwerfungsurkunde unterschreiben, und der Orden wurde aufgelöst. Laut Vertrag mußte das Land nördlich der Düna an Polen abgetreten werden, während das Gebiet südlich des Flusses in ein weltliches Herzogtum umgewandelt wurde. Da die Dönhoffs dort, wo sie waren, sitzenblieben, gab es nun mit einem Mal sowohl deutsche wie polnische Dönhoffs.

Jener 1330 eingewanderte Hermanus und seine Nachfahren blieben also zunächst im Rigaschen Land, der älteste übernahm jeweils den Dunehof, die anderen Brüder traten in den Orden ein.

Mit der siebten Generation sind sie zum ersten Mal auf der politischen Bühne zu sehen. »Gert der Olde« wurde Panierherr von Livland, was im 15. Jahrhundert viel bedeutete. Denn das Panier, das ursprünglich nur der Landesherr zu tragen berechtigt war, repräsentierte Autorität. In vielen Schlachten focht »Gert der Olde« neben dem Ordensmeister, und in friedlicheren Zeiten wirkte er am Aufbau der inneren Verwaltung mit. Inzwischen zur Reformation übergetreten, war er zu einem der größten Grundbesitzer des Landes geworden. Er starb 1574 in Riddelsdorf.

Sein Bild hat sich mir unauslöschlich eingeprägt, denn in Friedrichstein hing ein Ölgemälde von ihm. Es zeigte ihn in Lebensgröße mit einem langen Ziegenbart und einer schwarzen Klappe über dem linken Auge. Wir Kinder bestaunten ihn sehr, denn man erzählte uns, er sei über hundert Jahre alt geworden und mit siebzig über einen Tisch gesprungen, um seinen dicken Sohn – dessen Porträt neben dem seinen an der Wand hing – Beweglichkeit zu lehren; eben dabei habe er sich ein Auge ausgeschlagen.

Unter den Miniaturen in dem goldenen Barockrahmen standen hinter dem Namen der Dönhoffs viele fremdländische Titel: Woiwode, Starost, Kastellan ... gelegentlich ist einer auch General und kämpft im polnischen Heer gegen die Türken. Ein anderer namens Johann Kasimir erhielt den Namen von seinem Paten, dem König Johann Kasimir, dem letzten Wasa auf dem polnischen Thron. Er wählte den geistlichen Stand, studierte in Rom, trat in die Hausprälatur von Papst Innozenz XI. ein, wurde vom polnischen König zum Gesandten in Rom ernannt und danach vom Papst zum Kardinal gemacht.

Ein anderer Dönhoff namens Caspar, geboren 1587, erwarb sich die Gunst des Hofes, weil er die ihm erteilte Mission, für den polnischen König

Alexander Dönhoff.

Wladislaw IV. in Wien um die Hand der Schwester
Kaiser Ferdinands III. – der Erzherzogin Cecilia
Renata – anzuhalten, mit Erfolg absolvierte. Er
wurde zum Fürsten und zum Krongroßmarschall
ernannt. Seine drei Söhne heirateten in die großen Familien des Landes: Die Radziwills, Les-
czynskis, Osalinskis.

Sein jüngerer Bruder Gerhard bewährte sich ebenfalls als Brautwerber: Er wurde von Wladislaw IV. nach dem Tod der Cecilia Renata nach Paris gesandt, um einen Ehekontrakt mit Louise Marie von Nevers Gonzaga, der reichen Tochter des Herzogs von Mantua, zu schließen. Aus Dank für die glückliche Erledigung dieses Auftrages wurde er zum Kastellan von Danzig und zum »Schiffs- und Kriegskommissar für die Seeflotte« ernannt. Er war in dieser Stellung der einzige polnische Admiral vor 1918 – allerdings nur theoretisch, denn zum Bau der Flotte ist es nie gekommen.

Eines Tages entdeckte ich durch Zufall, daß die Geschichte der Dönhoffs in Polen – obgleich die Familie 1791 ausgestorben war – auf rätselhafte Weise weitergegangen ist. Ich hatte nämlich, während ich als Journalistin durch Polen reiste, bei einem Gang zum Powazki-Friedhof ein Grabmal gesehen, auf dem stand: Miecio Denhoff † 1903.

Gestorben 1903? Wie denn das? Zur gleichen Zeit wie ich hatte ein polnischer Bekannter von mir, Andrzej Niewiadomski, dieselbe Entdeckung gemacht. Seine genealogische Neugier war erwacht, sein historisches Interesse angeregt; nach zwei Jahren, in denen er, ohne daß ich etwas davon wußte, alle möglichen Nachforschungen angestellt hat, teilte er mir das höchst amüsante Resultat seiner Recherchen mit:

Stanislaus Dönhoff, der letzte Besitzer von Dönhoffstädt, der 20jährig im Duell fiel.

Im Jahr 1782 wurde die Tochter des königlich-polnischen Kammerherrn Ernst-Nicolaus von Kleist, die damals fünfzehn Jahre alte Luise-Sophie, mit einem hohen und reichen Würdenträger, dem dreiundvierzigjährigen Woiwoden Graf Jan-Thaddäus von Syberg, verheiratet. Diese junge Dame führte in Warschau einen bemerkenswerten Salon, in dem sich die polnische Prominenz der Aufbruchzeit traf, also der Zeit vor der Verkündigung der neuen polnischen Verfassung von 1791.

In diesem Salon erschien eines Tages ein vierundzwanzigjähriger Jüngling, Sproß einer ebenfalls berühmten Familie, Stanislaw Ledochowski. Er war ein Mitstreiter des Generals und späteren legendären Freiheitskämpfers Thaddäus Kosciuszko. Zwischen den beiden jungen Leuten entwickelte sich bald eine Romanze, die zu einem gesellschaftlichen Skandal ersten Ranges wurde. Ihr entsprossen drei Kinder, zwei Söhne und eine Tochter. Aus der Verlegenheit, welchen Namen sie tragen sollten, halfen sich die Eltern, indem sie ihnen kurzerhand den Namen Denhoff gaben; schließlich waren die Dönhoffs ausgestorben, der Name also frei, und eine Verwandtschaft gab es auch. Mithin erschien gegen dieses zwar verwunderliche, aber sehr zweckmäßige Verfahren nichts einzuwenden. Die beiden Söhne wurden Offiziere – dann verliert sich ihre Spur. Jener Miecio Denhoff, der 1903, neun Monate alt, starb und dessen Grabstein ich gesehen hatte, muß wohl ein Nachkomme von einem dieser Söhne gewesen sein.

Richtige Dönhoffs gab es also seit 1791 nur mehr in Ostpreußen. Sie saßen seit 1660 in Friedrichstein, das bis zum Ende des Zweiten Weltkrieges, also bis 1945, während acht Generationen stets vom Vater auf den jeweils ältesten Sohn vererbt worden ist. Es war Tradition, daß die nachgeborenen Kinder keine Erbansprüche stellten, aber eine Sicherheit, daß es immer so bleiben werde, gab es nicht. Darum beschloß mein Großvater, nachdem er und sein Vater durch äußerste, geradezu asketische Sparsamkeit alle Schulden abbezahlt hatten, den Besitz zum Fideikommiß zu machen.

Fideikommiß bedeutet, wie der Name sagt (fidei commissum = zu treuen Händen überlassen), daß der jeweilige Inhaber des Fideikommisses nicht Besitzer, sondern Treuhänder ist. Er konnte also nicht frei verfügen. Der Älteste erbte, alle nachgeborenen Kinder gingen leer aus; das heißt, die Mädchen bekamen eine Aussteuer, wenn sie heirateten, die Jungen eine angemessene Ausbildung. Für das Weitere mußten sie selber sorgen. Alle miteinander schließlich konnten im Alter auf diesem Besitz ihre Zuflucht finden. Die Weimarer Verfassung hat die Auflösung der Fideikommisse verfügt, es gab damals, also 1919, deren etwa 1.300 in Deutschland.

In der Einleitung zur Stiftungsurkunde von 1859 schreibt mein Großvater: »Ich, der gegenwärtige Besitzer der Friedrichsteinschen Güter, August Heinrich Hermann Graf Dönhoff, geboren zu Potsdam den 10. Oktober 1797, königlich preußischer Geheimer Rat und Mitglied des Herrenhauses, beabsichtige, durch Verwandlung dieser Güter in ein Fidei-Commiß mit Gottes Hilfe für die Zukunft einer solchen Gefahr (Zersplitterung durch Erbteilung) vorzubeugen, so viel es in meinen Kräften steht.

Seit vielen Jahren habe ich es für meine Pflicht gehalten, diesem Ziel mit Beharrlichkeit nachzustreben. Es ist meinen langen Bemühungen gelungen, die mit den Gütern überkommenen Schulden zu tilgen, und ich darf nunmehr hoffen, meinen Fidei-Commiß-Nachfolgern eine sorgenfreie Existenz und der ganzen Familie einen Stütz- und Anhaltspunkt für alle Zukunft zu sichern.

Mögen dagegen die künftigen Fidei-Commiß-Besitzer in dieser Stiftung eine dringende Aufforderung und eine Ehrenschuld sehen, sich nicht bloß zur Untätigkeit und zum Genuß berufen zu halten, sondern vielmehr – gleich wie die Stiftung selbst nur durch lange und strenge Wirtschaftlichkeit möglich geworden ist – auch ihrerseits in derselben Weise zur Erhaltung, Verbesserung und Vermehrung des Fidei-Commisses, auf die auskömmliche Existenz ihrer Witwen und Nachgeborenen und auf Ansammlung von Reserven zur Aushilfe bei Kriegszeiten und anderer Calamitäten in Zeiten ernstlich bedacht zu werden. Ganz besonders mache ich meinen Fidei-Commiß-Nachfolgern aber auch zur Pflicht, stets eingedenk zu bleiben, daß, da sie der Sorge für Lebensunterhalt überhoben sind, es vorzugsweise ihnen obliegt, wenn sie sonst dazu geeignet sind, höhere Interessen und namentlich die der öffentlichen Angelegenheiten des Landes zu vertreten.«

Keiner von uns hätte jene Regelung, die die Nachgeborenen bewußt und vorsätzlich benachteiligt, je beanstandet oder auch nur in Gedanken beklagt. Man war stolz, daß man einen so schönen Besitz zur Heimat hatte, und man wußte, daß er nie erhalten werden konnte, wenn es Realerbteilung geben würde. Mein ältester Bruder, der Besitzer von Friedrichstein, lebte selber unendlich bescheiden, steckte aber viel Geld in die Renovierung des Schlosses. Über Jahre hinweg wurde die häßliche, dunkelbraune Farbe, die man im 19. Jahrhundert bevorzugt hatte, von den Boiserien gelöst, darunter die Originalfarben wieder hervorgeholt und die Ölvergoldung durch Blattgold ersetzt.

In jedem Sommer verbrachte Alfred Sommerfeld, der Restaurator der Berliner Schlösser, mit

seiner Familie vier Wochen Urlaub in Friedrichstein und führte Aufsicht über diesen Verschöne-
rungsprozeß. Gerade vor Beginn des Zweiten
Weltkriegs war die Restaurierung beendet, aber
wenig später, im Frühjahr 1945 beim Einmarsch
der Russen, wurde das in neuer Pracht entstandene Schloß eine Beute der Flammen.

Jenes System, bei dem der Privilegierte das
Privileg durch eine gewisse Selbstlosigkeit zu
kompensieren gehalten war, erzeugte im allgemeinen eine Haltung, die weg vom eigenen Ego
auf das Ganze ausgerichtet war. Eine Neigung, die
verstärkt wurde durch das Bewußtsein, in eine
fest umgrenzte Gemeinschaft eingebunden zu
sein. Egoistische, labile Naturen freilich mögen
durch die Versuchung des Paternalismus dazu
verführt worden sein, ihre Stellung auszunutzen
und ihre Privilegien zu mißbrauchen. Aber ein
System, das gegen Mißbrauch gefeit ist, ist noch
nicht erfunden. Wo Menschen schalten und wal-
ten, da geht es eben »menschlich« zu.

Jede Revolution beginnt mit dem Verspre-
chen, die soziale Ungerechtigkeit der bestehenden Herrschaftsstruktur zu beseitigen und Freiheit an die Stelle von Unfreiheit zu setzen. Meist
aber dauert es nicht lang, bis andere Formen von
Ungerechtigkeiten etabliert werden und an die
Stelle der alten Unfreiheiten neue treten. Ist das
Netz neuer Gesetze, Verordnungen, Tabus und

Ein Stich aus dem späten 18. Jahrhundert: das Schloß von der Seeseite.

Gebräuche fertig geknüpft, beginnen die Menschen sofort, nach Löchern zu suchen – und sie finden sie auch.

Außerdem sind offenbar jedem System spezifische Versuchungen zugeordnet. Bei Altmeister Eschenburg liest man in seinem Buch »Spielregeln der Politik«: »Warum hat es im Kaiserreich 1871-1918 kaum parlamentarische Korruptionsfälle, in der Weimarer Republik 1918-1933 sehr viel weniger als heute gegeben? War es die bessere Moral? Ein Grund ist, daß bis 1908 nicht einmal

191

Diäten bezahlt wurden und daß sie auch nach 1918 relativ niedrig waren. Von Abgeordnetenpensionen war überhaupt nicht die Rede. Der heute überwiegende Typ des Berufspolitikers hingegen verlangt und erhält unvergleichlich viel mehr Geld als sein Vorgänger vor 1933. Die Kehrseite dieser an sich berechtigten Diäten- und Pensionsregelung ist, daß sich bei labilen Naturen auch ein Verlangen nach Versicherung gegen Mandatsverlust und nach Entschädigung für diesen Verlust einschleichen kann. Solche Sicherheit zu bekommen, ist ohne Korruption nicht möglich«. Soweit Eschenburg. Das Bestreben der Abgeordneten, sich soviel Unabhängigkeit wie möglich zu verschaffen, hat also auf dialektische Weise zu neuer Abhängigkeit geführt.

Wenn ich heute darüber nachdenke, erscheint mir das Verhältnis, das ich zu Friedrichstein hatte, als eine schwer zu definierende »Mischung« von grenzenloser Liebe und seltsam abstrakter Besitzerfreude. Ein bißchen so, wie man heute die bedrohte Natur liebt: man möchte sie behüten, für sie sorgen, fühlt sich auch verantwortlich, aber nicht als individueller Besitzer, sondern in einem höheren Sinne.

Damals als Kind hätte ich das noch weniger definieren können als heute, denn über Selbstverständliches denkt man ja nicht nach. So wie Tiere Besitz ergreifen – wenn Fuchs und Dachs sich einen Bau herrichten oder ein Raubvogel seinen Horst baut, womit er sich zum Herrscher über ein bestimmtes Revier aufwirft –, so setzten wir Kinder unsere Bauten allenthalben in die Friedrichsteiner Gefilde. In jedem Herbst wurden von neuem riesige Laubburgen errichtet, und natürlich mußten die Ställe für die Kaninchen häufig erweitert oder an einen anderen Platz verlegt werden.

Die großen Geschwister hatten am Waldrand sogar ein veritables Häuschen gebaut, mit Glasfenstern, einer sachgemäßen Tür und einer perfekten Dachkonstruktion, die kein Zimmermann besser hätte ausführen können. Sie bezeichneten es zwar nur als »Bude«, hatten aber großen Wert auf eine gepflegte Umgebung gelegt: Es gab ein Vorgärtchen und eine kleine Brücke über einen Graben, deren Geländer aus dünnen, weißen Birkenstämmen so geformt war, daß sich daraus die Anfangsbuchstaben der Erbauer ergaben.

Von außen gesehen hatte der Adel früher, als er noch eine besondere Kategorie bildete und eine Rolle spielte, manch komische Seite. Ich vermochte diese allerdings auch nur als Außenstehende – also nur bei anderen, nicht bei meiner eigenen Familie – zu beobachten. Zum Beispiel fand ich es sehr komisch, daß manche um ihre Koffer ein breites Band malen ließen, das ihre Wappenfarben zeigte: schwarz-gelb, blau-weiß ...

Ausgerechnet auf Reisen jedermann wissen zu lassen, hier kommt einer, der jener besonderen Gilde angehört, das erschien mir sehr merkwürdig, ja, eigentlich abstoßend. »Wieso«, meinte einer meiner toleranten Brüder: »In England machen sie sich wichtig mit dem Schlips ihres Colleges, damit jeder Eingeweihte weiß, welch teure Erziehung der Krawattenträger genossen hat.«

In meiner Familie hatte ich nie einen Koffer gesehen, der unsere Farben als Markenzeichen trug. Mein Vater war wohl zuviel in der Welt herumgekommen, um solchen provinziellen Gebräuchen anzuhängen. Auch trug keiner der Brüder Hemden, auf denen links – etwa da, wo das Herz sitzt – die Initialen mit einer Krone darüber eingestickt waren, wie ich es bei schlesischen und

süddeutschen Granden gesehen hatte. In Bett-
wäsche und Handtücher allerdings wurde auch
bei uns fleißig das Wappen gestickt, in Tisch-
wäsche sogar eingewoben.

Eher lächerlich erschienen mir auch alte Her-
ren, die mit dem Gotha lebten und in der Lage
waren, den Stammbaum der Braut herunterzu-
leiern, mit der irgendein Verwandter sich gerade
verlobt hatte – so wie ein Landstallmeister, der die
Abstammung seiner Stuten bis in die dritte Generation auswendig weiß. So ein Gotha ist im
Grunde ein nützliches Nachschlagewerk, aber ich
kann mich nicht erinnern, je gesehen zu haben,
daß in Friedrichstein irgend jemand darin geblät-
tert hätte. Ich weiß nicht einmal, ob einer vorhanden war. Der Jahrgang eines Gotha umfaßte fünf
Bände für die fünf verschiedenen Rangklassen:
Der Hofkalender war rot, die gräflichen Taschenbücher dunkelgrün, die freiherrlichen violett, die
uradeligen hellblau und die briefadeligen waren
hellgrün eingebunden.

Erst als ich Jahrzehnte später in Hamburg bei
der ZEIT war, wurde ich gelegentlich von Lesern,
manchmal auch von den Setzern gefragt, wie denn
das mit den verschiedenen Zacken in der Krone
sei und warum vor manchem Namen »von« ausgeschrieben werde, während es bei anderen »v.«
heiße. Ich sah ein, daß man Antwort auf diese Fragen mit Fug und Recht von mir verlangen könne,

und so machte ich mich ans Nachexerzieren. Vieles fand ich in dem höchst amüsanten Buch des Historikers J. Rantzau, der sich als Autor Joachim von Dissow nennt: »Adel im Übergang«.

Das einzige, was ich schon vorher wußte, ja, was ich ganz intuitiv bereits als Kind gespürt hatte, war, daß es innerhalb des Adels eine ganz komplizierte Hierarchie gibt, mit sehr viel verschiedenen Nuancen, daß also nicht alle Adeligen des Ostens Junker sind, wie der Laie meint. Wenn Gäste kamen, konnte ich deutlich merken, daß die Vorbereitungen, die zu ihrem Empfang getroffen wurden, unterschiedlich waren: Welche Fremdenzimmer? Welche Livree für die Diener? Was für ein Menü? Für einige wurden große Umstände gemacht, für andere sehr viel weniger. Einige schienen ganz unbedeutend zu sein: Für sie wurde so gut wie gar kein Aufhebens gemacht – aber warum das so war, habe ich eigentlich erst aus Rantzaus Buch erfahren.

Zunächst lehrt die historische Erfahrung, daß die Bedeutung des Adels seit dem Mittelalter in der Ausübung des Schwertdienstes lag, also auf der Verteidigung beruhte. Dies führte, wie in einem früheren Kapitel dargestellt, zur Erwerbung von Landbesitz; übrigens nicht nur im Mittelalter, sondern bis in unsere Zeit hinein: Bismarck, Moltke und andere bekamen nach 1871 große Dotationen, und auch Hitler hat einer

Reihe seiner Feldmarschälle und Generäle Güter geschenkt.

Der erste Gotha, der Mitte des 18. Jahrhunderts herauskam, war eigentlich ein Staatshandbuch, das über die Fürstenhäuser und Regierenden in Europa und nur über sie Aufschluß gab. Es war also für spätere Begriffe ein Hofkalender, der nur von den Familien handelte, die dem »Hohen Adel« angehörten. Die Taschenbücher, die dem »Niederen Adel« gewidmet waren, kamen erst im 19. Jahrhundert dazu. Die Einteilung in Hohen und Niederen Adel geht auf die Zeit vor 1806 zurück, also auf die Zeit vor dem Ende des Heiligen Römischen Reiches Deutscher Nation. Wer vor 1806 reichsunmittelbar war, also nur dem Kaiser unterstand und keinem Landesherrn, und wer auf dem Reichstag zu Regensburg, der dort seit 1663 tagte, vertreten war, gehörte zum Hohen Adel.

Kompliziert wird die Sache, weil es auch unter dem Niederen Adel Reichsunmittelbare gab, die aber nicht auf dem Reichstag vertreten waren, beispielsweise der Freiherr vom Stein. Diese Reichsfreiherren werden im Gegensatz zur Reichsstandschaft des Hohen Adels als Reichsritterschaft bezeichnet.

Ein Begriff, dem man gelegentlich begegnet, lautet die »Mediatisierten«, das heißt, die mittelbar gemachten. Das waren die wenigen Mächtigen, die 1806, nach dem Zerfall des Römischen Reiches Deutscher Nation, den größeren Landesfürsten unterstellt wurden, also den Königen von Preußen, Sachsen, Bayern, Württemberg. Zum Trost für das Ungemach, das sie damit ereilt hatte, wurde diesen Familien nach 1815, aufgrund der Verfassung des Deutschen Bundes, bei Heiraten die Ebenbürtigkeit mit den deutschen regierenden Häusern zuerkannt.

Die Dönhoffs wurden 1633 vom Kaiser in Wien zu Reichsgrafen ernannt und waren darum ein bißchen besser dran als normale Grafen, die nur von einem Landesherrn »gegraft« wurden. Aber sehr weit her ist es darum mit ihnen auch nicht, sie sind, wie Rantzaus Ausführungen zu entnehmen ist, keine »echten« Reichsgrafen, weil sie nicht auf dem Regensburger Reichstag vertreten waren und also nicht zum Hohen Adel gehörten.

Mit Uradel und Briefadel hat es folgende Bewandtnis: Adelsverleihungen und Adelsbriefe, also offizielle Dokumente, gibt es erst seit dem Ende des 14. Jahrhunderts. Jene Familien, die aus privatrechtlichen Urkunden ihren Adel aus der Zeit vor 1350 nachweisen, gelten als Uradel; als Briefadel diejenigen, die ihren adeligen Stand nach dieser Zeit beweisen können. Als ich mir diese Kenntnisse angeeignet hatte, schlug ich noch einmal im Großen Brockhaus nach, um zu sehen, was der zum Adel zu sagen hat und

198

las dort zu meinem Kummer: »Die bisher vielfach übliche Scheidung zwischen einem dem Dynasten entsprossenen Uradel und einem allein durch Diplom seit 1400 entstandenen Briefadel ist unhaltbar.« Da mag nun jeder glauben, was er will.

Ursprünglich hatte ich mich ja nur über die Frage informieren wollen, warum »von« manchmal ausgeschrieben wird und manchmal nur als »v« mit einem Punkt erscheint. Im Grunde, so scheint es, können adelige Familien das halten, wie sie wollen – sie können das »von« auch ebensogut ganz weglassen, manche führen es aus Prinzip nicht. Rantzau sagt dazu: »Einige Familien, besonders im Nordwesten Deutschlands, haben das ›von‹ vor ihrem Namen – z.B. von Spreckelsen in Hamburg und von Allförden in der Elbniederung –, ohne jemals zum Adel gehört zu haben. Dieses bürgerliche und bäuerliche ›von‹ entspricht dem holländischen ›van‹, das ohne den Zusatz ›Jonkheer‹ nicht auf einen adeligen Namen hindeutet. Diesen Sachverhalt berücksichtigte die Rangliste der königlich-preußischen Armee dadurch, daß sie das nicht-adelige ›von‹ als Namensbestandteil voll ausdruckte, hingegen das Adelsprädikat als ›v.‹ abkürzte.«

Apropos Namensbestandteil: als 1919 der Adel in Deutschland abgeschafft wurde, hat die Reichsverfassung sämtliche Adelsartikel und Prädikate zu einem Bestandteil des Namens erklärt, während in Österreich und der Tschechoslowakei die Führung von Adelstiteln verboten wurde. Der Chef meiner Schule in Potsdam, Direktor Wilmsen, ein toleranter, aber gleichzeitig sehr penibler Mann, gab mir den Lebenslauf, den ich 1929 für das Abiturexamen hatte schreiben müssen, zurück mit dem Bemerken, es müsse heißen: »Ich, Marion Graf Dönhoff«, denn der Titel sei Teil des Namens. Ich hatte davon noch nie etwas gehört, schrieb also den Lebenslauf noch einmal und freute mich darauf, wie die zu Hause sich amüsieren würden.

Schließlich noch die Sache mit den diversen Kronen – das ist so: Die Fürsten und alle dem Hohen Adel Angehörenden führen die geschlossene Krone; der Niedere Adel kennzeichnet seine verschiedenen Kategorien durch Kronen mit einer unterschiedlichen Anzahl von Zacken. Die Grafen haben neunzackige Kronen, die Freiherren siebenzackige, der Uradel schmückt die seinen mit Laub statt Zacken, und der Briefadel muß sich mit fünf Zacken begnügen.

Interessant, worauf Sprachforscher hinweisen, daß im Norden Europas das Wort »höflich« von »höfisch« und also von »Hof« kommt: Dies ist so im Dänischen, Schwedischen und Holländischen sowie im Deutschen, während es im Französischen neben »*courtois*« auch »*poli*« und »*civil*«

heißt, desgleichen im Italienischen neben »*cortese*«
auch »*civile*«.

Ein Beweis, daß die Achtung vor dem Staats-
bürger aus den romanischen Ländern kam – aus
Frankreich, Florenz und Mailand.

Viele der schwer zu definierenden Mischungen, die für den Osten so typisch waren, sind, denke ich, auf dessen besondere Geschichte zurückzuführen. Sie hat andere Traditionen und Lebensgewohnheiten hervorgebracht, als sie für die übrigen Teile Deutschlands charakteristisch sind. Selbst innerhalb der gleichen sozialen Schicht – und das ist das Merkwürdige – war die Lebensart nicht die gleiche. Merkwürdig, weil es ja im Grunde nicht nur die Internationale der Arbeiter gibt, sondern auch die der Gelehrten und die der Aristokratie. Soviel Ähnlichkeit besteht innerhalb dieser Kategorien, daß jeder seinesgleichen selbst in fremden Ländern meist unschwer erkennt.

Aus meiner Schilderung der Entstehung eines landwirtschaftlichen Großbetriebes wird erinnerlich sein, daß im Osten der Besitzer selber wirtschaftete, also gewissermaßen Unternehmer war, während im Westen die großen Besitze an bäuerliche Kleinbetriebe verpachtet waren, der Besitzer lediglich als Zinseinnehmer fungierte und im übrigen ritterliche Traditionen pflegte. In der Wissenschaft bezeichnet man diese unterschiedlichen Modelle als »Grundherrschaft« (Westen) und »Gutsherrschaft« (Osten).

Da ist es denn nicht verwunderlich, daß das Verhältnis von Besitzer zu Untergebenen in den so unterschiedlichen Modellen ganz verschieden war: im Osten paternalistischer, wenn man so will, serviler, aber auch enger und herzlicher als im Westen. Man war eben stärker aufeinander angewiesen; überdies kannten sich Oben und Unten ziemlich genau in jeder Generation, was eine merkwürdige Mischung von institutioneller Distanz und persönlicher Vertrautheit ergab.

Seltsam erscheint mir auch, wenn ich jetzt darüber nachdenke, die Art und Weise der Wohnkultur, wie man heute wohl sagen würde. Auch in dieser Beziehung war das Charakteristische eine Art Mischung von aufwendiger Repräsentation und spartanischer Lebensform im Alltag. Das wird deutlich, wenn ich mir die Zimmerflucht der repräsentativen Gemächer des Schlosses im Vergleich zu unseren Schlafzimmern vor Augen führe.

Ich will die Räume, die, zur Parkseite gewandt, die Länge des Hauses einnahmen, noch einmal Revue passieren lassen, und zwar in der Verfassung, in der sie sich bei unserem Abschied befanden. Das Zimmer am Südgiebel hat in meiner Lebenszeit den größten Wandel durchgemacht. Ursprünglich war dies wohl das Schlafzimmer meiner Eltern gewesen, aber nachdem die Restaurierungs-Passion meines ältesten Bruders größer geworden war als die besorgte Frage nach den Kosten, wurde der sachkundige Restaurator der preußischen Schlösser in Berlin geholt. Er begann damit, die Holzwände abzulaugen, und heraus kamen wohlerhaltene, absonderliche Fresken.

Sie zeigten eine Männergesellschaft, die bei Tisch saß und sich offensichtlich gut amüsierte. Als Sitzgelegenheit dienten ihnen merkwürdig geformte, grün gestrichene Stühle. Als diese Szenerie zum ersten Mal deutlich sichtbar wurde, rief

Der Gartensaal mit den nach Norden anschließenden Zimmern.
Ganz am Ende das Arbeitszimmer meines Vaters.

Fritz, der allwissende Diener: »Aber diese Stühle stehen doch in einem Verschlag auf dem Boden.« Sie wurden herbeigeschafft, und, tatsächlich, es waren genau diese.

Bald darauf folgte die zweite Überraschung: Zu Besuch kam Professor Arnold Hildebrandt, der Direktor des Hohenzollern-Museums in Berlin, und stellte fest: »Das sind Nachbildungen der Stühle aus dem Tabakskollegium Friedrich Wilhelms I.«, und er setzte hinzu: »Wahrscheinlich

Der Gartensaal – die Mitte des Hauses – mit den nach Süden anschließenden Zimmern.

hat man sich diese ganze Inszenierung zu Ehren des Königs, vielleicht anläßlich eines Besuches von ihm erdacht.« Wir beschlossen, diesen Raum mit der eigenartigen Kulisse zum »kleinen Eßzimmer« zu machen, und diesem Zweck diente er dann während der letzten Jahre.

Das anschließende Zimmer war das Kabinett, dessen Wandbespannung meine Mutter um 1900 in der Manier des Jugendstils bestickt hatte, gefolgt von der sogenannten »roten Stube«, die einen Zugang von der hinteren Treppe hatte und daher von den Leuten benutzt wurde, die irgendwelche Wünsche oder Gravamina vorzutragen hatten. Dann folgte der »grüne Salon«, dessen Wände Gobelins schmückten, die im frühen 18. Jahrhundert in Flandern für diesen Raum gefertigt worden waren, und danach der schon erwähnte stuckverzierte Gartensaal.

Daneben lag das Eßzimmer. In meiner Kinderzeit waren die Wände mit Bildern holländischer Maler des 18. und 19. Jahrhunderts vollgepflastert. Die schwarzen Rahmen stießen einer an den anderen, und da die Bilder selbst in eher dunklen Farben gehalten waren, wirkte das Ganze neben dem hellen Saal sehr finster. Als die Schichten brauner Farbe von der Boiserie abgezogen wurden, kam darunter als erster Anstrich ein wunderbares chinesisches Drachenrot hervor. Professor Hildebrandts Frau, eine geborene Cranach, war eine Malerin, die ihrem Namen Ehre machte; darum wurde ein Ballen gelber Seide gekauft, den sie mit chinesischen Symbolen bemalte – auf diese Weise war ein höchst origineller, heiterer Raum entstanden.

An ihn schlossen sich drei weitere Zimmer an, eines von ihnen ebenfalls mit flämischen Gobelins bespannt, das letzte war das Arbeitszimmer meines Vaters, in dem ich ihn in meiner Kindheit so oft hatte sitzen sehen. Ursprünglich hieß dieser Raum die »Gerichtsstube«, eine Bezeichnung, die aus der Zeit stammte, in der meine Vorfahren noch die Patrimonial-Gerichtsbarkeit hatten. Die Gerichtsstube hatte einen eigenen Eingang von außen, durch den die Leute eintraten, die den Justitiar konsultieren wollten, der zu diesem Zweck aus Königsberg geholt wurde. Da wurden dann Streitfälle der Bauern untereinander, Erbangelegenheiten, Eigentumsdelikte und so weiter verhandelt. Später, zur Zeit meines Bruders, war dieser Teil des Schlosses als separate Wohnung für den Forstmeister abgetrennt.

Wir Kinder waren in recht kargen kleinen Stuben untergebracht. Sie verdankten ihren Ursprung der Tatsache, daß man irgendwann im oberen Stockwerk eine Zwischendecke eingezogen hatte. Da die repräsentativen Räume sieben Meter hoch waren, hatten sich auf diese Weise leicht zusätzliche Zimmer gewinnen lassen. Die

Brüder hatten jeder ein winziges Loch für sich, hoch oben, sozusagen unter dem Dach. Die Fenster hatten nur die halbe Höhe und setzten – eben wegen der Zwischendecke – auf dem Fußboden auf. Die Schwestern bewohnten ebenfalls jede ein Einzelzimmer. Sie waren insofern privilegiert, als diese Stuben sich in der unteren Etage befanden und darum wesentlich heller waren.

Eingerichtet waren alle gleichermaßen spartanisch, nur mit dem Nötigsten: Bett, Schrank, Waschtisch mit Waschschüssel, Kanne und Eimer – fließendes Wasser gab es nicht. Einen einzigen Gegenstand bewunderte ich immer von neuem bei den großen Schwestern, den ich ihnen unendlich neidete und der mir als ein ungewöhnlich kostbares Kunstwerk erschien: ein Kaninchen aus weißem Porzellan mit roten Augen und gespitzten Ohren, in das eine Uhr eingebaut war.

Die sanitären Anlagen ließen sehr zu wünschen übrig. Auf jedem Stockwerk stand der als Schrank verkleidete Ort, welcher in modernen Häusern im allgemeinen besonders gepflegt und einladend erscheint. Ein Badezimmer – spät eingebaut – gab es in meiner Kinderzeit nur für die Eltern. In die Fremdenzimmer, die sehr groß und prächtig waren, wurde am Abend ein sogenanntes »Tub« gestellt; das war ein kreisrundes Gebilde von etwa einem Meter zwanzig Durchmesser, mit einem zwei Handbreit hohen Rand, der an einer

Stelle eine Schnauze hatte, durch die das Wasser wieder abgegossen werden konnte. Daneben standen zwei große Kannen mit warmem Wasser, die ein wenig wie Gießkannen aussahen, und ein Stuhl, auf dem ein Badetuch, so groß wie ein Bettlaken, ausgebreitet war.

Ich weiß nicht, ob dieses Kontrastprogramm von luxuriöser Repräsentation und persönlicher Enthaltsamkeit bewußt inszeniert wurde oder ob es sich, wie ich meine, einfach so ergeben hatte. Ich glaube, es entsprach ganz einfach dem Lebensgefühl der Besitzer – möglich, daß auch ein bißchen schlechtes Gewissen mitsprach. Vielleicht wollte man das Privilegiertsein, das ja nötig war, um den Glanz des königlichen Hauses angemessen zur Geltung zu bringen, kompensieren durch einen betont kargen Lebenszuschnitt des Besitzers und seiner Familie – was übrigens auch in den Essensgewohnheiten zum Ausdruck kam. Gut gegessen wurde nur, wenn Gäste kamen, Wein gab es nur für den Vater, wir Kinder tranken Wasser, das täglich in einem großen, von einem Pferd gezogenen Aluminiumkübel zum Kochen herbeigeschafft wurde. Im Winter kam das Wasser von einer Pumpe auf dem Hof, im Sommer – als Konzession an die Hygiene – aus einer Pumpe im alten Dorf, wo das Wasser angeblich sauberer war. Klarer war es in der Tat, aber in der heißen Zeit stank es so, daß man beim Trinken den Atem anhalten mußte; die Nase zuzuhalten wurde unterlassen, es hätte sonst sofort geheißen: »Stellt euch nicht so an.«

Wenn ich auf die Frage nach meiner Heimat auch heute, ohne nachzudenken, antworte: »Ostpreußen« und nicht Hamburg, wo ich doch seit über vierzig Jahren lebe und gern lebe, dann gibt es dafür vor allem einen Grund: Mir fehlen die Landschaft, die Natur, die Tiere jener untergegangenen Welt. Und auch die Geräusche, diese tausendfältigen Geräusche, die sich unverlierbar für immer ins Gedächtnis eingegraben haben. Wie viele verschiedene Laute vernahm man, wenn wir in der Dämmerung auf den großen Steinen vor dem Haus saßen. Da strichen die Mauersegler mit pfeifendem Ton in unglaublichem Tempo um das Schloß, bald darauf führten die Fledermäuse ihren Zickzacktanz auf, und wenig später erklang der Ruf der Käuzchen durch die Nacht. Oft wanderten wir noch ganz spät hinauf zum Waschteich, wo Hunderte von Fröschen ein phantastisches Konzert veranstalteten – so laut, daß man in der Unterhaltung die Stimme heben mußte, um sich verständlich zu machen.

In Hamburg gibt es ganz nah von Blankenese eine fast ostpreußische Landschaft, darum wohne ich so gerne in jener Gegend, aber einen Frosch habe ich dort in den Wiesen noch nie bemerkt. Manchmal wird es Sommer, ehe ich den ersten

Schmetterling sehe, und nachts höre ich nur das Geräusch vorüberfahrender Autos oder das Klappen ihrer Türen, wenn jemand ein- oder aussteigt. Es ist eine armselige Welt.

Sicher neigt man dazu, die Kindheit zu idealisieren, und es ist nicht leicht, sich darüber klar zu werden, warum sie denn – wahrscheinlich für die meisten Menschen – so einzigartig gewesen ist. Bei mir hat das Leben in der Gemeinschaft mit den Geschwistern viel dazu beigetragen. Ein so enger Zusammenhalt ist gewiß selten. Unser Ideal – im Scherz formuliert, aber doch irgend-

Tauwetter in der Pregelniederung.

wie auch ernst gemeint – lautete: Wenn wir mal alt sind, stoßen wir die Angeheirateten ab und ziehen alle wieder zusammen.

Wenn einer von den Großen, die ja schon erwachsen waren, eine Reise tat, dann strömten bei seiner Rückkehr alle wieder in Friedrichstein zusammen, und der Betreffende mußte berichten: »Also, du fuhrst zum Bahnhof und … nun erzähl mal.« Am beliebtesten waren die Schilderungen meines ältesten Bruders, der die goldenen zwanziger Jahre in Berlin erlebte. Wenn er von den großen Aufführungen bei Max Reinhardt berichtete, von den dramatischen oder poetischen, immer subtilen Inszenierungen, dann lauschten wir gespannt und hatten das Gefühl, alles selbst erlebt zu haben, ja, eigentlich war es fast schöner, als selbst dort gewesen zu sein.

Das Ende des unbekümmerten Daseins

Eines Tages fand meine Dreier-Kumpanei mit den beiden Lehndorffs zu unserem größten Bedauern und aus für uns unerfindlichen Gründen ein plötzliches Ende. Heini kam ins Internat nach Roßleben, Sissi in eine Pension nahe Montreux, und damit ich nicht ganz allein bliebe, wurde eine Cousine Kanitz organisiert, mit der ich fortan zusammen unterrichtet werden sollte. Dieser Plan aber wurde durch ein tragisches Unglück zunichte gemacht. Die Cousine war erst ein paar Monate in Friedrichstein, als wir im Herbst, es war Anfang September, zu einer Fahrt an die Ostsee nach Cranz aufbrachen, von der sie nicht lebend zurückkehrte.

Wir fuhren in zwei Autos. Im ersten, das von meinem ältesten Bruder gesteuert wurde, saßen die Erwachsenen, das zweite folgte ihm sozusagen auf dem Fuß, weil der fremde Chauffeur nicht ortskundig war. Wir hatten einen lustigen Tag gehabt, waren lang geblieben, so daß es schon dunkelte, als wir uns auf den Heimweg machten. In Königsberg ging ein Gewitter nieder, und der Regen behinderte die Sicht. Wir Kinder, meine Cousine, ein kleiner Coudenhove aus Österreich, zwei junge Schweizer namens Lindemann und ich sangen und alberten im Wagen, als plötzlich der

Fahrer einen schrecklichen Schrei ausstieß. Im selben Moment stürzte das Auto, wie ich meinte, in eine Baugrube, aber dann drangen gewaltige Wassermassen auf uns ein: der Pregel, schoß es mir durch den Kopf.

Es war kein ganz geschlossenes Auto, es hatte ein sogenanntes amerikanisches Verdeck aus Segeltuch. Sofort brach wildes Durcheinander im Inneren des Wagens aus. Der Fahrer wurde, wie er später aussagte, vom Strudel nach hinten gerissen, alles wirbelte durcheinander. Dann gab es einen Ruck: das Auto setzte offenbar auf dem Grund des Flusses auf, der dort zehn Meter tief ausgebaggert ist. Luft hatte ich längst keine mehr, ich schluckte fortwährend Wasser.

Es ist unglaublich, wie blitzschnell die Gedanken in Todesangst sich überstürzen. Ich mußte denken, wie dumm die Leute sind, die sagen, Ertrinken sei ein rascher Tod: mein Gott, wie lang das dauert. Ich malte mir aus, wie traurig es für die daheim ist, wenn fünf Kinder im Saal nebeneinander aufgebahrt werden. Da plötzlich durchzuckte es mich wie ein letzter Blitz: da war doch ein Spalt zwischen der Karosserie und dem Verdeck: Ich tastete, suchte, schob mich durch und wurde nach oben gerissen. Es verging eine Ewigkeit.

Endlich oben, sah ich die Scheinwerfer eines Autos, das an den Kai geschoben worden war, und hörte meinen Namen rufen. Ohne diesen Anruf meines Bruders wäre ich sofort wieder untergegangen, denn alle Kraft war verbraucht, nur Schwindel beherrschte mich. Nun aber riß ich mich zusammen und paddelte wie ein Hund zur Kaimauer, an der lange Mäntel heruntergelassen wurden. Ein letzter äußerster Kraftaufwand war erforderlich, um sich an dem Mantel festzuklammern, während die oben zogen, bis die drei Meter zur Straße überwunden waren. Ich war die letzte, die lebend herauskam – nach etwa fünf Minuten, wie mein Bruder meinte. Die beiden schwächsten, Huberta Kanitz und der zwölfjährige Franz Coudenhove, konnten erst Stunden später tot geborgen werden. Der Fahrer und die beiden ein paar Jahre älteren Lindemanns waren bereits weggebracht worden, als ich auftauchte.

Die armen Insassen des ersten Autos haben gewiß nicht weniger Todesangst durchlitten. Der Bericht meines Bruders lautete: »An der Stelle, an der die Straße, weil sie dort auf den Pregel stößt, im rechten Winkel abbiegt, bemerkte ich plötzlich, daß das Auto mit den Kindern, das eben noch hinter mir gewesen ist, nicht mehr zu sehen war. Es konnte nur etwas Entsetzliches passiert sein. Ich wendete rasch, fuhr zurück und schob das Auto an den Kai, der, wie ich erst jetzt bemerkte, dort weder durch eine Kette noch durch ein erhöhtes Trottoir markiert ist. Auf der anderen

Seite des Flusses steht eine Lampe, die der fremde Fahrer offenbar anvisiert hat. Als die Scheinwerfer die Oberfläche des Flusses beleuchteten, sah ich, wie Ringe sich bildeten, die größer und größer wurden. Dann tauchte ein Hut auf, nach einiger Zeit ein Mensch und gleich darauf noch einmal zwei. Und dann sehr lange nichts.«

Am nächsten Tag standen dann zwar nicht sechs, aber eben doch zwei Särge in dem hellen Gartensaal, der das Herzstück des Hauses war – nicht nur architektonisch, sondern auch geschichtlich und emotional. Hier waren sie alle zum Abschied aufgebahrt worden, meine Schwester Christa, meine Mutter, mein Vater, dessen Vater und alle bis weit in die Ur-Ur-Generationen hinein; nur der letzte Besitzer von Friedrichstein nicht – er liegt in fremder Erde im Osten. Auch alle Hochzeiten wurden hier gefeiert, alle Taufen und meine Einsegnung.

Jenes Unglück in Königsberg war natürlich eine erschreckende Zäsur in meinem bis dahin ziemlich unbekümmerten Dasein. Die Erwachsenen befürchteten einen Schock fürs Leben, und wie Erwachsene nun einmal sind, versetzten sie mir zur Kompensation, ohne es zu ahnen, einen weiteren Schock: Ich wurde in eine Pension nach Berlin geschickt. Eine jener Mädchenpensionen, wo alles vorgeschrieben und nichts erlaubt war: einen Pädagogen, der die Sache überwacht hätte, gab es nicht, sondern wir gingen von dort aus in eine in der Nähe gelegene Schule.

Täglich mußten wir zwei und zwei hintereinander in einem langen Schwanz durch die Straßen Berlins marschieren – betend, in diesem lächerlichen Aufzug nur keinen Bekannten zu treffen. Das einzig Positive, das ich nach zwei Jahren von dort mitnahm, war ein vehementes Interesse an intellektuellen Problemen. Keineswegs durch die Schule angeregt, sondern von einer zufällig in der Pension wohnenden Nichte der Leiterin. Sie hieß Ursula von Kranold – ich habe sie nie wiedergesehen, weiß nicht einmal, ob ich hier ihren Namen richtig geschrieben habe.

Sie hatte einen Vortrag über Hermann Keyserling gehalten, dessen Manuskript sie mir auf meine Bitte zu lesen gab. Ich war einfach fasziniert und voller Bewunderung darüber, daß »ein Mensch wie du und ich« solche Zusammenhänge aufdecken und formulieren konnte. So was wollte ich später auch einmal tun. Zwar hatte ich viel gelesen, aber nur Literatur – auf Philosophie war ich noch nie gestoßen.

Abgesehen von diesem wichtigen Erlebnis war das Pensionsdasein wirklich die Antithese zu meinem bisher so freiheitlichen Leben. Ich meuterte, wo ich konnte, stachelte die anderen Mädchen auf, wurde aber unglücklicherweise zur Pensionsältesten ernannt, obgleich ich zu den

217

jüngsten gehörte. Also auch noch Verantwortung für eine Institution, die ich aus tiefstem Empfinden mißbilligte. Eine gewisse Befriedigung aber hatte ich wenigstens hinterher, als ich erfuhr, daß Frau von Lindeiner, die Pensionsmutter, nach dem Abgang meines Jahrgangs die Institution geschlossen hat; ich schmeichelte mir, daß dies vielleicht im Zusammenhang mit unserer Aufmüpfigkeit erfolgt sei.

Die Schule war ein Kapitel für sich. Für mich war sie eine Art Super-Strafanstalt, denn ich hatte ja bis dahin keine systematische Schulbildung genossen. Die zufällige Abfolge von Pseudo-Lehrern – es waren gewiß mehr als ein Dutzend gewesen – hatte keine vernünftige Grundlage geschaffen. Die Aufnahmeprüfung war daher eine einzige Katastrophe: Im deutschen Aufsatz hatte ich den Großen Kurfürsten mit Friedrich dem Großen verwechselt, im französischen Diktat brachte ich es auf 33 Fehler, und von den fünf Mathematikaufgaben konnte ich vier nicht einmal verstehen und die in Angriff genommene fünfte nicht lösen. An die anderen Fächer erinnere ich mich nicht mehr, aber dabei schnitt ich sicherlich nicht besser ab.

Das Ergebnis: Die Lehrerschaft vermochte sich nicht vorzustellen, daß jemand so bar aller Grundkenntnisse war; es hieß: »Wahrscheinlich steht das Kind unter einem Schock.« Mit dieser Maßgabe wurde ich auf Probe in die anvisierte

Klasse aufgenommen, und mit Hilfe von Nachhil-
festunden und unter großer Anstrengung schaffte
ich es dann Gott sei Dank, in der Untersekunda zu
bleiben.

Die nächsten drei Klassen bis zum Abitur
absolvierte ich dann in Potsdam; dort war ich ein
freier Mensch, wohnte bei einer bekannten Familie und ging in eine Jungenschule, wo ich das einzige Mädchen in der Klasse war. Früh lernte ich
also die Wechselfälle des Lebens kennen und
mich in die jeweiligen Gegebenheiten zu schik-
ken. Eine gute Vorschule für das, was in der größeren Welt noch auf mich zukommen sollte.

Die Lindenallee nach Friedrichstein im tiefen Schnee.

Dennoch hat es Jahrzehnte gedauert, bis ich imstande war, für mich selbst das zu akzeptieren, was dann später kam: den Verlust der Heimat. Lange Zeit hatte ich wider alle Vernunft gehofft, irgendein Wunder werde geschehen, obgleich ich aus meiner intensiven Beschäftigung mit Politik wußte, daß in diesem Bereich keine Wunder geschehen; aber es gibt neben dem Bewußtsein des Tages eben doch auch nächtliche Träume.

Schließlich aber wurde mir klar, man muß auf Gewalt verzichten, also einen Gewaltverzicht aussprechen, wenn Schluß sein soll mit diesem schrecklichen Morden und Vertreiben. Meine Devise, in vielen Diskussionen vertreten, hatte bis dahin geheißen: Gewaltverzicht ja, aber keinen Territorialverzicht, wie die Polen ihn forderten. Begründung: Wenn sie uns den Gewaltverzicht nicht abnehmen, dann werden sie uns den Territorialverzicht erst recht nicht glauben. Als dann aber 1970 das Kabinett Brandt die Regierung übernahm und endlich damit begann, eine aktive Ostpolitik zu betreiben, für die ich mich seit Ende der fünfziger Jahre eingesetzt hatte, da schien mir diese hinhaltende Politik nicht länger vertretbar: Wenn wir Normalisierung wollten, dann war die Klarheit über die endgültige Grenze notwendig. Wann mir diese bittere Erkenntnis gekommen ist? Es ist immer schwierig, zu präzisieren, wann man was gedacht hat; in diesem Fall aber steht es schwarz auf weiß in dem Vorwort, das ich meinem 1962 erschienenen Buch »Namen, die keiner mehr nennt« vorangestellt habe:

»Als immer deutlicher wurde, daß die Faustregel: Gewaltverzicht – ja, Territorialverzicht – nein, keine Antwort mehr sein konnte, weil nun ein ganzes Ja oder ein ganzes Nein notwendig wurde, da mußte auch ich mich innerlich zu einer eindeutigen Stellungnahme durchringen. Ich wählte das schmerzliche Opfer eines zustimmenden Ja, wo das refüsierende Nein Vergeltung und Haß bedeutet hätte.

Ich kann mir auch nicht vorstellen, daß der höchste Grad der Liebe zur Heimat dadurch dokumentiert wird, daß man sich in Haß verrennt gegen diejenigen, die sie in Besitz genommen haben, und daß man jene verleumdet, die einer Versöhnung zustimmen. Wenn ich an die Wälder und Seen Ostpreußens denke, an die weiten Wiesen und alten Alleen, dann bin ich sicher, daß sie noch genauso unvergleichlich schön sind wie damals, als sie mir Heimat waren. Vielleicht ist dies der höchste Grad der Liebe: zu lieben ohne zu besitzen.«

Gewitterwolken über den Pregelwiesen.

Haug von Kuenheim (Hrsg.)

Aus den Tagebüchern des Grafen Lehndorff

224 Seiten mit 41 Illustrationen, Leinen

Berlin und Potsdam während der Kriege Friedrichs des Großen. Der Kammerherr der Königin führt ein geheimes Tagebuch während des Auf und Ab der Feldzüge, verzeichnet die Niederlagen und Triumphe, die harmlosen Maskenbälle und die Kopflosigkeit in Momenten des Debakels. So entsteht ein unvergleichliches Bild einer Epoche zwischen rokokohaften Tändeleien und militärischen Bravourstücken.

»Momentaufnahmen – in ihrer Gesamtheit ein Mosaik der Friderizianischen Epoche –, bunt, eindrucksvoll, mit vielen Zwischentönen. Preußisches Rokoko, von uns Nachgeborenen nur selten so zu erfahren. Der politisch-historisch Interessierte wird ebenso gern nach diesem Buch greifen wie der schlichte Nostalgiker. Ein jeder kommt auf seine Kosten, wenn er dem Zeugen jener Zeit auf dessen Spur folgt. Und der Leser wird finden, daß vieles ihm mitunter gar nicht so entlegen erscheint. Menschliches bleibt zeitlos. Vor über 200 Jahren ebenso wie heute!«

Deutsche Welle

Gerhard von Jordan
Unser Dorf in Schlesien

224 Seiten mit Abbildungen, Leinen

In einer Mischung aus Reportage und Erlebnis-
bericht schildert Gerhard von Jordan den Gutsall-
tag im elterlichen Baunau. Vor unseren Augen
entsteht das Bild eines vielfältigen sozialen
Geflechts – nicht mühsam rekonstruiert, sondern
aus eigenem Erinnern hervorgeholt. Der Autor
hält sich an den Ablauf der Jahreszeiten und die
Fruchtfolge, an die Hierarchie unter den Bedien-
steten und Arbeitern und beschreibt alle wichtigen Funktionen am Hof, den Unterschied zwischen einem herrschaftlichen Kutscher und
einem Ackerkutscher zum Beispiel oder die Qual
der Frauen beim Rübenverziehen. Zum Gutsbetrieb gehörten der Hof, die Häuser, die Ställe
und Scheunen, das Vieh, die Felder, der Wald; die
Herrschaft, das war der Besitzer und seine Familie. Herrschaft und Gutsbetrieb – Dominium, wie
man in Schlesien sagte – verkörperten eine festge-
legte, seit alters her überlieferte Ordnung, die ein
halbes Jahrhundert nach Kriegsende noch einmal
heraufbeschworen wird.

Marianne Peyinghaus
Stille Jahre in Gertlauken
Erinnerungen an Ostpreußen

224 Seiten, Leinen

Als im Januar 1945 die russische Großoffensive auf
Ostpreußen ansetzte, ging eine Welt in Trümmer,
deren Verlust man sich im übrigen Deutschland
erst lange nach Kriegsende allmählich realisierte.
Keine zweite Landschaft, die so viel an wehmüti-
gen Erinnerungen aufrief – auch und gerade bei
denen, die die endlosen Ebenen zwischen
Marienburg und Tilsit nie gesehen hatten.
Im Herbst 1941 erhält eine junge Lehrerin aus
Köln ihre erste Stelle in diesem ihr unbekannten,
fremden Land, in einem kleinen Flecken auf hal-
bem Wege zwischen Königsberg und Tilsit. Drei
Jahre lang berichtet Marianne Peyinghaus in
regelmäßigen Briefen an ihre Eltern im tausend
Kilometer entfernten Köln vom täglichen Leben
in einem Land, in dem sich seit Jahrhunderten
nichts geändert zu haben scheint. Eine aus der
Fremde hat in Ostpreußen drei Jahre lang ihre
»Heimat« gefunden: Das Ende – die Flucht vor den
Russen – ist zugleich das Ende der Deutschen im
Osten.

Horst Bienek

Schlesischer Bilderbogen

Photosammlung Ebell-Schwager

112 Seiten, 96 Abbildungen, Leinen

Mit dem Untergang des Reiches hat Deutschland nicht nur Städte und Provinzen verloren, sondern auch seelische Landschaften. Das Schlesien des Riesengebirges, der barocken Kirchplätze und der weiten Oderniederungen steigt in vergilbten Photographien noch einmal aus der Erinnerung – schemenhaft, zugleich nah und fern, wie alle Träume.

»Wer glaubt, daß dieser ›Schlesische Bilderbogen‹ nur etwas für die sei, die diese Landschaft vor Jahrzehnten noch als Heimat mit Kopf und Seele erlebt haben, irrt sich: Es ist ein wunderbarer Blick in eine vergangene Zeit, auf eine vielleicht nie gekannte Landschaft.«

Nürnberger Zeitung

im
Siedler Verlag

CIP-Titelaufnahme der Deutschen Bibliothek

Dönhoff, Marion Gräfin: Kindheit in Ostpreußen/
Marion Gräfin Dönhoff. – Berlin: Siedler, 1988
ISBN 3-88680-332-5

Der Siedler Verlag ist ein gemeinsames
Unternehmen der Verlagsgruppe Bertelsmann
und von Wolf Jobst Siedler

© 1988 by Wolf Jobst Siedler Verlag GmbH, Berlin

Alle Rechte vorbehalten, auch das
der fotomechanischen Wiedergabe.
Typografie: Brigitte und Hans Peter Willberg,
Eppstein/Ts.
Satz: Bongé + Partner, Berlin
Reproduktionen: Rembert Faesser, Berlin
Druck: May & Co., Darmstadt
Buchbinder: Lüderitz & Bauer, Berlin
Printed in Germany 1989
ISBN 3-88680-332-5

Erste Auflage · September 1988
Zweite Auflage · September 1988
Dritte Auflage · Oktober 1988
Vierte Auflage · Dezember 1988
Fünfte Auflage · Januar 1989